ЛЮК БЕССОН | LUC BESSON

АРТУР
И ЗАПРЕТНЫЙ ГОРОД

книга вторая

Москва
2007

УДК 82/89
ББК 84.4(Фр)
Б 53

ЛЮК БЕССОН
/LUC BESSON/

АРТУР И ЗАПРЕТНЫЙ ГОРОД
/ARTHUR ET LA CITÉ INTERDITE/

Издательство выражает признательность
Анастасии Лестер за содействие
в осуществлении данного проекта.

ISBN 5-18-000651-1 (рус.)
ISBN 2-251-79034-9 (фр.)

ГЛАВА 1

Солнце постепенно садится за горизонт. Оно понимает: людям надо дать отдохнуть от неимоверной жары.

Пес Альфред открывает глаза. Судя по слабому дуновению ветерка, жара спала и температура воздуха вполне сносная. Он не спеша поднимается, потягивается всеми четырьмя лапами и выходит из облюбованного им тенистого уголка. Сейчас перед ним стоит задача повышенной сложности: отыскать участок еще не выжженной травы и оставить там свою метку. Конечно, можно было бы задрать лапку на угол дома, но тот давным-давно пожелтел от его посланий.

На крыше, на краю высокой каминной трубы, сидит молодой ястреб и с победоносным видом обозревает окрестности. Он не боится ни жары, ни людей, ни пса, лениво трусящего по саду на ватных от сна и жары лапах.

Нескольких секунд хищнику вполне достаточно, чтобы понять, что пес – не его добыча. Слишком велик и при необходимости может пустить в ход зубы. Тряхнув головой, ястреб принимается выслеживать другую жертву.

Дом целый день выдерживал натиск яростного солнца, и теперь дерево, из которого он сделан, размеренно потрескивает под воздействием вечерней прохлады. Негромкий сухой треск, мелодичный, словно музыка, сочиненная заходящим солнцем.

Сегодня солнце измучило всех и имеет полное право отдохнуть.

Ястреб, видимо, тоже считает, что за день солнце перетрудилось, и резкими криками прогоняет его на отдых. От издаваемых им громких пронзительных звуков мороз бежит по коже. Ничего удивительного, что бабулечка от них просыпается.

Во время сиесты она не стала подниматься к себе в спальню, а прикорнула на диванчике в гостиной. И ее можно понять: прохлада, царящая в комнате, мерное тиканье настенных часов с огромным маятником усыпляют как нельзя лучше, тем более в жаркий день.

А если прибавить к этому парочку сверчков, свиристящих за печкой, то, уверен, любой проспит в такой комнате до самого вечера.

Проснувшись от пронзительного ястребиного крика, бабушка вскакивает с дивана, но, запутавшись в кружевном покрывале, в которое она завернулась перед сном, она опускается на прежнее место. Нескольких минут ей вполне хватает, чтобы проснуться окончательно, выпутаться из огромного покрывала и вновь застелить диван, скрыв следы своего недавнего сна.

Чинно усевшись на кончик дивана, она принимается соображать, отчего это она вдруг заснула среди бела дня и который может быть сейчас час.

Ответ на последний вопрос ей подсказывают настенные часы. На первый же вопрос...

Когда наконец память приходит к ней на помощь, она с горечью убеждается, что ее внук Артур, ее обожаемый мальчик, до сих пор не вернулся.

Четыре года назад исчез ее муж, дедушка Артура.

Арчибальд пропал из сада: отправился на поиски сокровищ. Отсюда же, из сада, исчез и внук. Неужели он отправился вслед за дедом?

Она обошла весь сад, перетрясла все вещи в доме, обегала все соседние холмы: Артур как сквозь землю провалился. Остается только предположить, что его утащили инопланетяне – зеленые человечки, спустившиеся с небес в летающей тарелке специально, чтобы похитить ее внука.

Она давно боялась, что ее мальчика могут украсть. Разве можно не хотеть украсть такого очаровательного мальчика?! Кто может равнодушно пройти мимо его растрепанной головки, мимо огромных карих глаз, всегда готовых удивляться окружающему миру? Что может быть приятнее звуков его тонкого детского голосочка, такого нежного и такого звонкого? Артур – единственное ее сокровище, и это сокровище у нее украли. Она чувствует себя одинокой и обездоленной.

Ей очень хочется плакать, но она крепится: одна-единственная слезинка скатывается по ее щеке. Горе ее так велико, что даже светлый летний вечер кажется ей ночным мраком. Подойдя к окну, она смотрит на небо. Оно на редкость голубое, без единого облачка, и совершенно пустынное. Никаких следов инопланетян.

Бабушка тяжко вздыхает. Она смотрит по сторонам, оглядывает каждый угол гостиной, словно надеясь отыскать там какой-нибудь намек на то, где искать внука. Но вещи, окружающие ее, хранят молчание.

– Как я могла заснуть? – протирая глаза и прогоняя последние остатки сна, сокрушается она.

И как удачно, что птица криком своим подняла ее!

Но вряд ли хищник прилетел только для того, чтобы разбудить бабушку. В подтверждение этому со двора вновь доносится громкий клекот пернатого.

Бабулечка прислушивается. Любой звук, будь то скрип половицы или мышиный писк, она готова принять за знак свыше, за знамение, за веление судьбы.

Обладая острым взором и тонким слухом, ястреб вполне мог заметить то, чего не заметила она. Да, разумеется, птица что-то нашла, и это что-то имеет отношение к ее внуку!

Возможно, ястреб посылает кому-то сигналы, кого-то предупреждает. Но кому посылает? Кого предупреждает?

У хищных птиц очень сильное зрение, они видят далеко, гораздо дальше бабушки. Так что, возможно, ястреб заметил что-то вдалеке.

Пора покончить с догадками. Предмет, который птица разглядела уже давно, – это автомобиль. Он направляется к дому бабушки. Через несколько минут бабушка и сама сможет различить его. Машина мчится в клубах пыли, которые предзакатное солнце, видимо решив пошутить на ночь, разукрасило всеми цветами радуги.

Вскоре до бабушкиных ушей долетает шум двигателя.

Не покидая дивана, бабушка напряженно вслушивается в вечерние звуки. Шум двигателя звучит все громче.

Двумя отрывистыми вскриками ястреб словно сообщает, что в машине сидят два человека.

Вместе с легким ветерком до хищника долетают звуки хрипло тарахтящего мотора. Ястребу они явно не по вкусу, и он улетает.

Вряд ли его отлет можно расценить как добрый знак. Птицы, как известно, обладают даром предчувствия. Неужели приближающийся автомобиль сулит несчастья и беды этому дому?

Машина ненадолго скрывается за пригорком.

Откашлявшись, бабушка ощущает разлитую в воздухе тяжелую свинцовую тишину. Звуки автомобиля смолкли.

Словно параболическая антенна, пытающаяся уловить сигнал, старушка медленно поводит головой.

Выскочив из-за пригорка, машина с громким гулом мчится к бабушкиному дому. В лучах заходящего солнца сверкает хромированная решетка радиатора.

Гул мотора перерастает в рев, разносящийся далеко вокруг. Ворвавшись в сад, он сотрясает деревья, пригибает к земле траву и с силой обрушивается на дом.

Бабушка вздрагивает и вскакивает с дивана. Сомнений больше нет: ястреб действительно сообщил ей очень важную весть. Только вот какую? Бабулечка расправляет помявшееся платье, разглаживает воротничок и спешно идет разыскивать тапочки.

Ворвавшийся в гостиную рев двигателя уступил место шуршанию шин по гравию. Значит, машина подъехала к крыльцу и остановилось.

Бабушка успела найти всего одну тапочку: скрип тормозов застал ее врасплох. Походкой старого пирата на деревянной ноге она ковыляет к двери. Но стремление узнать, кто приехал, пересиливает любовь к порядку. Скинув тапочку, а с ней и несколько десятков лет, бабушка бабочкой летит к двери.

Утробно урчащий мотор наконец заглох. С воем попавшей в мышеловку кошки дверь салона автомобиля открывается, и на гравий с хрустом ступают старые, никогда не чищенные кожаные ботинки. Владелец таких ботинок вряд ли привезет хорошие новости. Ястреб был прав, что улетел.

Подбежав к двери, бабулечка вступает в сражение с ключом.

– Однако какого дьявола я заперла эту дверь? – ворчит она, изо всех сил пытаясь повернуть ключ в замке. Она так поглощена своим занятием, что забывает выглянуть в окошко, выходящее на крыльцо, и полюбопытствовать, кто приехал к ней на ночь глядя.

Наконец ключ со скрежетом поворачивается в замке: вход свободен!

Распахнув дверь, бабушка с изумлением воззрилась на стоящую перед ней парочку. А потом испустила пронзительный вопль, который вполне можно назвать воплем ужаса.

Во внешнем виде улыбающейся до ушей парочки нет ничего ужасного. Даже наоборот. Любой взрослый, сумевший сохранить чувство юмора, при виде бабушкиных гостей нашел бы немало поводов для веселья. А тот, кто привык к строгому языку правил и предписаний, сухо заметил бы, что вид новоприбывших свидетельствует исключительно о дурном вкусе. С ним трудно было бы не согласиться. На женщине мятое платье из ткани с огромными цветами фуксии, а на мужчине – еще более мятый пиджак в зеленую клетку, чередующуюся с клеткой цвета гусиного помета.

Спохватившись, бабушка пытается превратить свой вопль в громогласное приветствие.

– Сюрприз! – в один голос радостно восклицает парочка.

Бабушка делает движение, должное, видимо, означать, что она раскрывает объятия навстречу гостям. Но хотя губы ее говорят: «Здравствуйте», взгляд по-прежнему вопит: «На помощь!»

– Вот уж действительно сюрприз! Настоящий сюрприз! – произносит она, загораживая собой вход в дом и не давая широко улыбающимся родителям Артура (а прибывшая парочка и есть родители ее обожаемого внука) войти. Приезд их обычно превращает ее жизнь в сплошной кошмар.

Продолжая улыбаться, бабулечка, подобно голкиперу, всем телом защищает вход в дом.

Делает она это молча, и отец Артура, желая прояснить ситуацию, задает ей вопрос, которого она боится больше всего на свете.

– А где же Артур? – спрашивает он игривым тоном, ни секунды не сомневаясь в ответе.

Лучезарно улыбнувшись, бабушка вопросительно смотрит на него, словно ожидая, что спрашивающий сам ответит на свой вопрос и ей не придется лгать. Однако отец Артура, никогда не отличавшийся остротой ума, упорно ждет ответа.

Поняв, что отвечать придется, бабушка набирает в грудь побольше воздуха и произносит:

– Хорошо доехали?

Отец ожидал иных слов. Но, решив, что ему как инженеру нельзя оставить такой вопрос без внимания, приступает к пространным объяснениям.

– Мы решили ехать по западному шоссе, – обстоятельно начинает он. – Конечно, дорога, которая к нему ведет, не слишком широка, зато по моим подсчетам мы срезали угол в сорок три километра. А это составляет значительную экономию, особенно при цене литра бензина...

– Хотя нам каждые три секунды приходилось куда-нибудь сворачивать! – перебивает его мать Артура. – Это было не путешествие, а сплошной кошмар, и я благодарю небо, что мальчика с нами не было! Он бы совершенно измучился! Просто наказание какое-то! – всплескивает она руками и вновь задает роковой вопрос:

– Ну, так где же Артур?

– А? Кто? – переспрашивает бабушка, делая вид, что не слышит.

– Артур, мой сын, – с тревогой в голосе отвечает мать. Правда, тревожится она не о сыне, а о том, не сошла ли с ума ее мать. При такой страшной жаре можно ожидать чего угодно.

– А-а-а!.. Конечно, он будет рад вас видеть, – уклончиво отвечает бабулечка.

Родители Артура удивленно переглядываются: похоже, бабушка совершенно оглохла.

– Где Ар-тур, ку-да он по-де-вал-ся? – выговаривая слова по слогам, спрашивает отец, словно перед ним стоит не бабушка его сына, а туземец из диких джунглей.

Бабушка улыбается еще шире и кивает.

Родители Артура обеспокоенно переглядываются. Бабушка понимает, что пора наконец сказать что-нибудь осмысленное. Все равно что, лишь бы прекратить расспросы.

– Он... он пошел погулять с собакой, – выпаливает она.

Бабушка готова лгать дальше, но ее ответ всех устраивает.

К несчастью, именно в эту минуту из кустов, весело виляя хвостом, с громким лаем выскакивает Альфред, тем самым опровергая столь удачно придуманное алиби.

Бабушка видит, как улыбка медленно исчезает с лица матери Артура – словно краска с полотна старинного мастера под рукой неопытного реставратора.

– Где Артур? – спрашивает мать жестко.

В эту минуту бабушка готова задушить Альфреда. Опровергнуть такое замечательное алиби! Но делать нечего, и она вновь сверлит взором парочку – в надежде, что кто-нибудь из них подскажет ей следующую реплику.

Альфред перестает вилять хвостом и виновато поскуливает. Он сообразил, что совершил какую-то глупость и оправдывается.

– Вы с Артуром решили поиграть в прятки? – обращается к псу бабушка, чувствуя, что из присутствующих только он может ей помочь. Альфред с радостью делает вид, что все понял.

– Эти двое просто обожают прятки! – объясняет бабушка. – Могут играть в них целыми днями. Артур прячется, а...

– А собака считает! – перебивает ее отец. Ему в голову закрадываются подозрения, не принимают ли его здесь за дурака.

– Именно так! Альфред считает до ста, а после отправляется искать Артура.

Усталая и растерянная бабушка не замечает, что на этот раз выдумка ее не слишком удачна: Альфред вряд ли умеет считать даже до одного!

Родители снова тревожно переглядываются: состояние бабушкиного рассудка начинает внушать им опасения. Похоже, старушка слишком долго гуляла по солнцу.

– И... куда он обычно прячется? Вы должны знать его привычки! – вежливо произносит отец.

В надежде, что ответ ее прозвучит честно и убедительно, бабулечка энергично встряхивает головой:

– В сад!

Никогда еще ложь не была так близка к правде!

ГЛАВА 2

В глубине сада, за высоченными стеблями травы, под слоем земли, изрезанным муравьиными ходами, среди перепутанных корней растений скрыты руины старых стен, некогда построенных руками человека. Самих стен давно не существует, остался лишь кирпичный фундамент, местами выходящий на поверхность.

Кирпич, выступающий из земли, потрескался и осыпался, порос мхом и покрылся мерзкой черной слизью. Трещинки на кирпичах тоненькие, словно паутинки, однако когда твой рост не больше двух миллиметров, они превращаются в бездонную пропасть. Нашим героям, идущим вдоль одной из таких трещин, кажется, что они продвигаются по краю бездны. Впереди, как всегда, шагает Селения. Несмотря на трудности, которые довелось им пережить, принцесса не утратила бодрости духа: в любую минуту она готова исполнить возложенную на нее миссию.

Селения так уверенно идет по опасной тропе, что можно подумать, будто она бежит в магазин по Елисейским Полям. Ужасную пропасть, тянущуюся вдоль каменного тротуара, она даже не замечает.

Следом за Селенией, стараясь не отставать, вприпрыжку бежит Артур. Он уже поверил, что все, с ним случившееся, – не сон и он действительно превратился в крошку минипута ростом не более двух миллиметров. Но если раньше он очень переживал из-за своих метра тридцати и мечтал поскорее вырасти, то теперь он гордится своим новым ростом. Черт возьми, не с каждым случаются такие приключения! Ради них не жалко и уменьшиться.

Вдохнув воздух полной грудью, он распрямляет плечи: честно говоря, сейчас ему тоже хочется стать выше – совсем чуть-чуть, только чтобы догнать в росте принцессу. Пока они идут по кирпичу, он гораздо чаще смотрит на Селению, чем на страшную пропасть, тянущуюся вдоль дороги. Но, увы, стоит ему размечтаться, как он начинает отставать и ему приходится бегом догонять вышагивающую в авангарде девочку.

Принцесса Селения – настоящая красавица. Но характер у нее совершенно свинский. Взгляд разъяренной пантеры и ангельская улыбка. Во всяком случае, Артур видит ее именно такой. И... прощает ей все ее недостатки. Там, в большом мире, точно так же Альфред прощал Артуру все его проказы. Здесь, в мире минипутов, Артуру досталась роль Альфреда, и мальчик покорно следует за капризной и очаровательной принцессой.

Барахлюш идет последним; он добровольно занял место в арьергарде. За спиной у него по-прежнему громоздится рюкзак, набитый тысячью мелочей. Зато с таким рюкзаком его никакой ветер не унесет!

– Эй, Бюш, давай прибавь шагу! У нас мало времени! – кричит ему сестра.

Барахлюш, зная, что его сестрица вечно чем-то недовольна, возмущенно пыхтит:

– Надоело мне таскать эти вещи!

–А никто не просил тебя брать с собой столько барахла! – ядовито напоминает ему принцесса.

– Почему бы нам не нести рюкзак по очереди? Тогда я смог бы немного отдохнуть и прибавить шагу. И мы бы двигались гораздо быстрее, – предлагает изобретательный Барахлюш.

Селения останавливается и в упор смотрит на брата.

– Ты прав. Так мы действительно выиграем время. Давай!

Барахлюш радостно скидывает груз с плеч и протягивает его сестре. Принцесса хватает рюкзак и, не моргнув глазом, швыряет его в пропасть.

– Вот и все! Без него ты будешь меньше уставать, и мы сможем идти быстрее, – заявляет она. – А теперь вперед!

Ошеломленный Барахлюш смотрит, как его сокровища стремительно исчезают в бездонной пропасти, и не верит своим глазам.

Нижняя челюсть его медленно отвисает, и, если бы природа не предусмотрела специального мускула, удерживающего ее, юный принц наверняка бы ее потерял.

Артур держится в стороне. Он не намерен вмешиваться в семейную ссору. В нем внезапно проснулась страсть к подсчетам: он срочно пересчитывает осколки битого стекла, усыпающие поверхность кирпича.

Барахлюш весь кипит. Рот его до отказа заполняется оскорбительными словами, которые со страшной силой рвутся наружу.

– Ты... ты... такая... настоящая змея! – выкрикивает он, глядя на Селению.

Селения улыбается.

– У змеи есть задание, которое она должна выполнить, и она больше не допустит никаких задержек. А если тебе не нравится быстро ходить, можешь топать домой. Подумай, до моего возвращения у тебя будет масса времени, чтобы насочинять кучу совершенных тобой подвигов, да еще и король тебя пожалеет!

– Да, пожалеет, потому что у короля, в отличие от тебя, есть сердце! – огрызается Барахлюш.

На всякий случай он предпочитает держаться подальше от принцессы.

– Ну вот и пользуйся королевскими милостями, пока можно, потому что от следующего короля ты их не дождешься!

– А кто будет следующим королем? – робко спрашивает Артур.

– Будущий король... это я! – заявляет Селения, гордо вздергивая свой хорошенький носик.

Артур уже неплохо разбирается в династических вопросах минипутского королевства. Однако уточнить никогда не помешает.

– Значит, тебе надо через два дня выйти замуж именно для того, чтобы занять место короля? – еще более робко спрашивает он.

– Да. Принц должен быть избран до того, как я приступлю к исполнению обязанностей главы государства. Так принято. Таково правило, – отвечает ему Селения и, развернувшись, ускоряет шаг, давая понять, что с вопросами покончено.

Артур огорченно вздыхает. Ох, как ему хочется спокойно посидеть и подумать, отчего при взгляде на Селению щеки и уши у него безудержно краснеют, а сердце начинает биться так часто, что, кажется, вот-вот выскочит из груди. Но, увы, времени нет, и неизвестно, что ждет его впереди.

Взрослые в кино называют это чувство любовью. Но слово «любовь» такое необъятное, такое огромное, что он не понимает, когда его надо произносить. Наверное, это потому, что до той, взрослой, любви он еще не дорос. Ведь если подумать, он любит бабушку, любит свою собаку Альфреда, свою новую машинку. Но разве можно так же любить Селению? Любить такую вредину? И все-таки стоит ему о ней подумать, как он мгновенно краснеет, и уши его пылают, словно раскаленные угли.

– Что с тобой? – спрашивает Селения, видя, как погруженный в свои мысли Артур то краснеет, то бледнеет.

– Нет, ничего! – отвечает Артур и еще сильнее заливается краской. Ему кажется, что Селения читает его мысли. – Это от жары, здесь так жарко! – оправдывается он.

Селения снисходительно улыбается. Сорвав кожистый лист какого-то растения, она протягивает его Артуру.

– Держи, приложи ко лбу, тебе станет легче.

Артур благодарит и делает так, как ему сказали. Там, в большом мире, когда у него болела голова, бабушка всегда прикладывала ему ко лбу капустный лист. Ох, как давно это было!

Селения продолжает улыбаться. Она прекрасно понимает, что жара здесь ни при чем. Тем более что температура воздуха вокруг них явно не превышает двадцати градусов. Но, как настоящая принцесса, она всегда готова посмеяться над другими. Впрочем, сейчас она не знает, хочется ли ей подшутить над Артуром или нет.

Лист стал теплым, и мальчик решительно отбрасывает его. В нем пробуждается смелость, и он, догнав принцессу, начинает засыпать ее вопросами, которые давно вертятся у него на языке.

Говорят, любовь дает человеку крылья и отвагу. Может быть, Артур действительно влюбился?

– Можно задать тебе вопрос, Селения? – отважно спрашивает он.

– Разумеется, можешь задавать мне любые вопросы, но стану ли я на них отвечать – это мне решать! – с ехидцей произносит принцесса.

– Через два дня тебе придется выбирать мужа... Неужели за тысячу лет ты никого не сумела найти?

– Такая высокородная принцесса, как я, заслуживает исключительного, необыкновенного супруга – умного, отважного, смелого, умеющего отлично готовить, ухаживать за детьми... – с упоением перечисляет она, пока Барахлюш не обрывает ее.

– ...а еще убирать квартиру и стирать, в то время как мадам будет кривляться перед зеркалом! – хихикает он, очень довольный, что сумел подпустить сестре шпильку.

Выслушав юного принца, Селения как ни в чем не бывало продолжает:

– А еще он должен будет понимать свою жену с полуслова... и защищать ее, в том числе и от дурацких выходок некоторых ее родственников! – грозно завершает она, глядя на брата.

Барахлюш даже присел от страху.

Решив, что братец вполне напуган и больше не дерзнет ее прерывать, Селения мечтательно перечисляет:

– Он, конечно, будет самым красивым, самым справедливым, самым верным, самым ответственным, самым обязательным... М-м-м... В общем, он будет необыкновенным, благородным и просвещенным! – с истинно королевским величием завершает Селения.

При этом она краем глаза смотрит на Артура. Мальчик чувствует себя совершенно раздавленным. Каждое слово принцессы камнем падает ему на голову.

– И, разумеется, у него будет железная сила воли, и он не станет напиваться при первой же подвернувшейся возможности! – добавляет принцесса, ставя точку в списке качеств своего будущего супруга, и выжидательно смотрит на Артура. Заметив, что мальчик совсем скис, она меняет гнев на милость и переводит выразительный взор на брата.

– Да, все правильно, – бормочет Артур, согнувшись в три погибели, словно его постигло великое несчастье. Он-то воображал, что принцесса удостоила его своим вниманием! Куда ему до нее, тем более теперь, когда в нем росту не метр тридцать, а всего лишь два миллиметра... И лет ему всего десять, а ей целая тысяча!

И вообще никакой он не выдающийся, не просвещенный, не... словом, если бы его сейчас попросили охарактеризовать самого себя, ему хватило бы всего трех слов: маленький, глупый, ничтожный.

Желая приободрить Артура, Селения тоном, принятым на официальных пресс-конференциях, продолжает:

– Выбор жениха является одной из самых важных задач для любой минипутской принцессы. Ведь именно жениху она подарит свой первый поцелуй! А первый поцелуй принцессы имеет особое значение, ибо вместе с ним к ее избраннику переходят ее сила и ее полномочия. Полномочия эти поистине огромны, и в дальнейшем они позволят ему править вместе с ней. Народы семи континентов приносят присягу на верность обоим супругам.

Артур и не подозревал, как важен ритуал выбора жениха и первого поцелуя. Теперь понятно, почему Селения должна быть осмотрительной и отчего ей так трудно сделать выбор.

– Значит, это из-за твоей власти... Ужасный У хочет жениться на тебе? – спрашивает Артур.

– Нет, что ты! Исключительно из-за ее красоты, любезности, а главное, из-за ее ангельского характера! – как ни в чем не бывало подсказывает Барахлюш.

Презрительно пожав плечами, Селения не удостаивает его ответом.

Да, маленькая принцесса, бесстрашно вышагивающая вдоль ужасной пропасти, жуткая воображала. А еще она вредная и капризная. Но ведь девчонка с такими глазами просто не может не зазнаваться! А тем более, если она еще и принцесса!

За один взгляд ее обворожительных глаз Артур готов простить ей любые колкости.

Потому что без этих взглядов он зачахнет. Как цветок без дождя.

– Нет, он никогда меня не получит! – неожиданно патетически восклицает принцесса.

Ее слова звучат для Артура как приговор. Он и так знает, что недостоин ее, зачем же еще раз напоминать ему об этом?

– Разумеется, я говорю об Ужасном У, – своим обычным насмешливым тоном уточняет Селения.

Артур в недоумении. Она что, дразнит его? Но зачем? Ох, как же ему надоело чувствовать себя беспомощной мышкой в когтях у этой обворожительной дикой кошки!

И, набравшись храбрости, Артур со всем возможным в его состоянии ехидством спрашивает:

– Послушай, а как ты узнаешь, что больше привлекает в тебе жениха: ты сама или твое королевство?

Улыбка Селении говорит: кошка готова выпустить коготки. Глупая мышь сама лезет к ней в пасть, так почему бы и не поиграть с ней?

– Очень просто: для женихов у меня есть свой собственный тест. С его помощью я всегда буду знать, что больше нравится претенденту: я или мой трон.

Селения забрасывает наживку, а Артур, словно карась, кружит вокруг, никак не решаясь ее заглотнуть.

Но рыбак рассчитал точно: не проходит и трех минут, как рыбка уже на крючке.

– А... что это за тест? – робко спрашивает Артур.

– Тест на доверие. Тот, кто утверждает, что любит свою невесту, должен ей доверять. Доверять полностью, слепо, без лишних слов – как и она ему. Обычно у мужчин это не получается, ибо они никому не доверяют, а тем более женщинам, – объясняет Селения.

Ее намеки не остаются незамеченными. Наживка заглочена целиком.

– Ты можешь полностью доверять мне, Селения, – пылко произносит Артур.

Селения нежно улыбается. Что ж, проверим, не сорвется ли карась с крючка.

Замедлив шаг, она внимательно смотрит на Артура.

– Правда? – переспрашивает она, глядя мальчику прямо в глаза. Больше всего она похожа сейчас на удава Каа, но Артур, разумеется, этого не замечает.

– Правда! – отвечает Артур с обезоруживающей честностью.

Селения продолжает снисходительно улыбаться.

– Это что, предложение руки и сердца? – надменно вопрошает она.

Сейчас принцесса похожа на кошку, решившую поиграть с сидящей в стеклянном стакане золотой рыбкой. Рыбка видит кошку и в страхе мечется по стакану.

Рыжий Артур ужасно похож на золотую рыбку.

– Да, конечно... я знаю, я еще слишком маленький, – оправдывается он, – но я... я же спас тебе жизнь, и не раз!..

Селения сурово обрывает его:

– Это ничего не значит. Мы делали общее дело. А когда ты любишь, ты обязан доказать, что можешь делать то, чего тебе делать совершенно не хочется. Делать то, что приказывает тебе твоя избранница! И без всяких отговорок!

Артур окончательно повесил нос. Он даже не подозревал, что любовь – это такое страшное испытание. Во всем слушаться какую-то девчонку! Он думал, что станет совершать подвиги, а потом пожинать плоды славы! А она будет восхищаться им. Получается, что любовь – это всего лишь багровые щеки и пылающие уши, а все остальное придумано для кино!

– Вот ты, к примеру, готов ради меня на все? – раздается новый коварный вопрос.

Мальчик в полной растерянности. «Золотая рыбка» Артур по-прежнему бьется о прозрачные стенки стакана, пытаясь увернуться от когтистой кошачьей лапки. Стенка скользкая, и рыбка кружится на месте.

– Ну... если ты считаешь... что только так я могу доказать тебе свою преданность... да, – уступает «рыбка», в глубине души надеясь, что ничем плохим ее согласие не обернется.

Селения останавливается и обходит Артура, словно мышь кусок сыра.

– Что ж... посмотрим...– оценивающе произносит она. – Раз ты согласен, тогда шагай назад!

Артур в недоумении. Конечно, один шаг вперед или назад ничего не изменит, пока есть тропинка. Но если придется отступать и дальше... Аккуратно ощупав место, куда поставить ногу, он делает шаг назад.

– Дальше, дальше! – приказывает Селения.

Артур в отчаянии смотрит на Барахлюша, но тот только возводит глаза к небу и разводит руками. Его сестра всегда придумывала неинтересные и невеселые игры. Эту игру он знает наизусть, и она ему тоже не нравится. Но Артур сам напросился, так что пусть играет. А он пока отдохнет.

Артур робко делает еще шаг назад.

– Еще! – властно требует Селения.

В нерешительности Артур смотрит через плечо. Позади него пропасть, та самая, по краю которой они идут вот уже несколько часов. Расселина глубокая, дна ее не видно.

Интересно, что за правила у этой игры?

Как долго ему придется доказывать свою храбрость? Он отступает еще на шаг, еще... и пятки его касаются края пропасти.

Селения улыбается: похоже, ей нравится, как ведет себя Артур. Однако испытание не закончено. Послушной «рыбке» предстоит еще немного потрепыхаться.

– Я же просила тебя отойти назад. Почему ты остановился? Ты мне больше не веришь?

Артур смущен. Если говорить честно, то лично он не видит никакой связи между доверием и его шагами к краю ужасной пропасти. Внезапно ему становится жалко тех уроков математики, которые он благополучно проспал. Наверное, если бы он лучше учил математику, он, быть может, сумел бы найти решение той задачки, которая сейчас стоит перед ним.

– Значит, ты мне не доверяешь? – оскорбленным тоном спрашивает Селения. Ей не терпится проверить только что сочиненную ею теорию.

– Нет, что ты... доверяю, – отвечает Артур. – Я тебе верю.

– Тогда почему ты остановился? – задает она ему провокационный вопрос.

Артур лихорадочно соображает и, наконец, находит ответ.

Набрав в легкие побольше воздуха, он гордо выпячивает грудь и смотрит прямо в глаза Селении.

– Я остановился, чтобы попрощаться с тобой! – торжественно заявляет он.

Селения продолжает улыбаться, однако в глазах ее заметался страх.

Барахлюш догадывается, чем закончится эта игра.

Слишком честный и слишком маленький, чтобы играть в дурацкие игры, несчастный Артур только что совершил непоправимую глупость.

– Не делай этого, Артур! – в ужасе вопит Барахлюш; он настолько растерялся, что даже не попытался подскочить к другу и оттащить его от края пропасти.

– Прощайте! – прочувствованно произносит Артур.

Улыбка стремительно исчезает с лица Селении. Игра грозит обернуться трагедией.

Артур уверенно делает шаг назад. Селения бросается за ним.

– Нет! – в ужасе кричит она, закрывая лицо руками. Артур исчезает в бездонной пропасти.

Селения с воплем падает на землю. Ей страшно смотреть на отверстую могилу Артура. Закрыв лицо руками, она рыдает, содрогаясь всем телом. Слезы застилают ей взор. Впервые она поняла, что в своих экспериментах зашла слишком далеко.

– С такими тестами ты вряд ли вообще выйдешь замуж! – упрекает ее Барахлюш и тоже заливается слезами. Ему очень жалко Артура.

Пока все рыдают, уткнувшись носами в землю, откуда-то сверху появляется Артур.

Словно он только что подпрыгнул высоко-высоко, улетел за облака, а теперь благополучно оттуда вернулся.

Первым его замечает Барахлюш. В изумлении он открывает рот, чтобы сообщить о чудесном возвращении друга, но тот, стоя за спиной Селении, заговорщически ему подмигивает и, приложив палец к губам, призывает хранить молчание. Юный принц мотает головой, стряхивая с себя колдовские чары, и, убедившись, что Артур не растворился в воздухе, кивает в знак согласия.

Убитая горем Селения не видит ни вернувшегося из бездны Артура, ни сговора мальчишек.

– Правильно говорят, если играешь с огнем, непременно обожжешься, – назидательно изрекает Барахлюш. Он всегда готов поучить других.

Его сестра печально кивает: похоже, сейчас она готова признать все свои ошибки и недостатки, даже те, которых у нее никогда не было. Барахлюш ликует. Наконец-то ему представилась возможность повоспитывать сестру! И уж он-то эту возможность не упустит... А для начала забьет гвоздь в самое больное место.

– Какая же из тебя принцесса, если ты позволяешь самым преданным твоим подданным умирать просто так, от нечего делать?

– Ах ты, маленький негодник! Надутый эгоист! – в ярости накидывается на него Селения, хотя в глубине души сознает его правоту. – Как я могла так поступить? Как я могла быть такой балдой и злюкой одновременно? Как я, принцесса, могла вести себя по-дурацки, как пустоголовая девчонка? Ты это хотел услышать, да? Так вот, я признаю, что недостойна своего титула! И никакое наказание не поможет мне искупить свою вину!

– Конечно не поможет, – философски замечает Барахлюш, с интересом наблюдая, как Артур то исчезает, то появляется вновь.

– Я была слишком гордая, гордость сделала меня такой злой! – всхлипывает принцесса. Ей хочется облегчить душу, а так как вокруг никого, кроме братца, нет, приходится плакаться в жилетку ему. – Я считала его недостойным себя, а вышло все наоборот: это я его недостойна. Я всегда слушала только свою голову, а надо было слушать сердце.

– Ага, вот как?! – заинтересованно восклицает Барахлюш. – Что ж, продолжай,

продолжай, – важно кивает он, пользуясь покаянным настроением сестры.

– Как только я увидела его, у меня сердце забилось, словно после быстрого бега, – всхлипывая, признается Селения. – Он был такой хорошенький, с большими карими глазами, и... очень растерянный. Но, несмотря на это, он вел себя с потрясающим достоинством. Сразу было ясно, что перед тобой человек благородный. Настоящий принц!

Артур вновь подпрыгивает и приземляется в самой что ни на есть нелепой позе, совершенно не оправдывая те комплименты, которыми осыпает его Селения. Сейчас он похож не на принца, а на куклу-марионетку, у которой оборвались ниточки и она с большой высоты упала на землю.

– Ах, он был такой хороший, такой милый, такой прекрасный! – рассыпается в похвалах принцесса, уверенная, что Артур ее не слышит.

– Прекрасный? – удивленно переспрашивает Артур, готовясь совершить еще один прыжок.

– Самый прекрасный из всех принцев, которые когда-либо жили на всех семи континентах. Красивый...

Внезапно она умолкает. Интересно, откуда прозвучал вопрос? И отчего голос, произнесший его, так поразительно похож на голос мальчика, чье имя она не решается назвать?

Селения медленно поднимает голову, поворачивается и видит Артура, приземляющегося после очередного прыжка. Мальчику очень понравилось прыгать, и он, позабыв, что хотел произвести впечатление на принцессу, приземляется на руки, головой вниз. И не видит, что Селения раскрыла его проделку.

Дрыгая в воздухе ногами, он, восхищенный столькими комплиментами, спрашивает:

– Так какой же он еще?

Никогда его столько не хвалили!

И никогда Селения не попадала в такое дурацкое положение. Ярость ее поистине не имеет пределов. Лицо ее становится похожим на маску злобной фурии, она шипит, словно распаявшийся чайник. Но несмотря на всю ее злость, в глубине души Селению гложет стыд. Как могла она поверить этому обманщику и выложить все, что было у нее на душе!

Хватая ртом воздух, словно выброшенная на берег рыба, она обрушивается на Артура с кулачками и, задыхаясь от злости, выкрикивает:

– Ах ты... мерзкий врун! Гнусный обманщик!

Спасаясь от разъяренной принцессы, Артур мгновенно исчезает, а Селения подбегает к краю пропасти, желая наконец понять, как Артуру удалось сыграть с ней такую шутку.

Внизу от одного конца пропасти до другого протянулась гигантская серая паутина, и Артур подпрыгивает на ней, словно на батуте. Его падение было тщательно продуманным трюком, равно как и его эффектное появление. Но Селения признает только те спектакли, которые ставит сама. Так что новоявленный комедиант дорого заплатит за свои проделки! Принцесса вытаскивает меч и, когда Артур приземляется на краю пропасти, решительно надвигается на него.

– Ты самый изворотливый обманщик, которого я когда-либо знала! – гневно шипит она, обрушивая на Артура удар за ударом, так что он едва успевает уворачиваться.

– Но я тебя проучу, ты навсегда запомнишь, как разыгрывать принцесс!

– Послушай, Селения, если все, кто тебя любит, должны непременно убить себя, доказывая свою преданность, ты никогда не выйдешь замуж! – тоном здравомыслящего резонера успокаивает ее Артур.

– Он абсолютно прав! – энергично поддерживает его Барахлюш, всегда готовый подлить масла в огонь.

Селения резко разворачивается и мечом срезает три торчащие дыбом волосинки на голове Барахлюша.

– А ты, маленький негодяй, ты с самого начала был с ним в сговоре! После таких шуточек ты мне больше не брат! – в ярости выкрикивает Селения, молотя мечом направо и налево.

Артур уже привык к перепалкам брата с сестрой и теперь, в ожидании, когда им наконец надоест ссориться, продолжает свои прыжки.

Паутина с легкостью выдерживает его вес, отлично пружинит. Но, если бы Артур был повнимательнее, он бы заметил, как при каждом прыжке тоненькая серенькая ниточка, уводящая в сторону от полотнища, натягивается и содрогается. Ниточка тянется к маленькому отверстию на склоне пропасти. В большом мире в таких норах, проделанных в прибрежных склонах, вьют гнезда ласточки-береговушки. Ниточка теряется во мраке пещеры, еще более густом, чем мрак на дне пропасти.

Но любопытство сильнее страха, поэтому, следуя за этой нитью, мы рискнем проникнуть в таинственную пещеру.

Внезапно во тьме возникает чей-то силуэт, а затем красным светом вспыхивают глаза. Красные, налившиеся кровью глаза.

Не ведая о грозящей ему смертельной опасности, Артур весело подпрыгивает на своем батуте.

– Довольно, успокойся, Селения! Прости меня! – кричит он из пропасти. – Я сразу увидел внизу паутину, но – согласись! – я же выполнил все, что ты просила! Просто мне повезло!

Селения не склонна ни прощать, ни тем более играть по чужим правилам. Сейчас ей больше всего на свете хочется наказать, отшлепать маленького нахала, чтобы у него даже мысли не было совать нос в игры взрослых!

Похоже, пожелания Селении услышаны. Счастливая звезда изменяет мальчику. При очередном прыжке паутина рвется и нога Артура проваливается вниз. Пытаясь вытащить ногу, Артур падает, и липкие паучьи волокна, только что служившие ему спортивным снарядом, затягивают его в свои объятия.

Тоненькая серенькая ниточка бешено отплясывает, посылая неведомые сигналы в глубину пещеры.

Красноглазое существо приняло сигнал и, резво пробежав по коридору, выскочило из отверстия. Теперь все могут его видеть: это маленький серенький паучок.

Таким он кажется людям из большого мира, или гуманоидам, как именуют их минипуты. А когда твой рост не более двух миллиметров, обычный паучок превращается в кошмарное чудовище.

В глазах минипутов паук – это настоящий восьминогий танк, покрытый длинной, как у мамонта, шерстью.

С устрашающим чавканьем паук торопится к запутавшемуся в паутине Артуру. Церемониться с ним он, очевидно, не собирается.

Паук раскрывает пасть, полную крошечных острых зубов, и сплевывает вязкую слюну. На паучином языке этот жест заменяет довольную улыбку. Огромные челюсти приходят в движение, захватывают нить и быстро-быстро подтягивают ее к себе, а вместе с ней и всю паутину.

ГЛАВА 3

Артур лихорадочно пытается выбраться из ловушки, в которую он угодил по причине собственной беспечности. Клейкие нити, из которых сплетена паутина, не желают его отпускать, и чем энергичнее старается он от них избавиться, тем больше они опутывают его, превращая в беспомощный кокон.

– Селения, я влип! – изо всех сил кричит Артур, стараясь, чтобы голос его донесся до дорожки.

– Ну и прекрасно! В следующий раз ты десять раз подумаешь, прежде чем так гнусно врать! – отвечает Селения, довольная, что сумела быстро отомстить маленькому наглецу. – Полагаю, у тебя будет достаточно времени обдумать свое поведение!

– Но я же ничего плохого не сделал! – оправдывается Артур. – Ну услышал, что ты говоришь! Это же совершенно случайно! Я не собирался подслушивать! За что на меня так долго сердиться? Ты так красиво про меня говорила!

Селения в ярости топает ногой. Опять этот дрянной мальчишка смеется над ней!

– Только не думай, что все это правда! – насмешливо откликается она. – Я говорила просто так!

– Ах, просто так? – вворачивает Барахлюш, всегда готовый вставить сестре палки в колеса. – Значит, ты говоришь не то, что думаешь? Так, может, и сейчас ты тоже говоришь не то, что думаешь?

– Перестань. Я всегда говорю то, что думаю, – отмахивается от него Селения. – В тот раз я была очень расстроена, мне показалось, что я виновата в том, что случилось! Вот я и несла всякую чушь, чтобы облегчить совесть!

– Ага, значит, ты соврала? – не отстает от сестры Барахлюш.

– Да нет же, я никогда не лгу! – оправдывается Селения, все больше и больше запутываясь в своих ответах. – И вообще изволь замолчать! Вы оба с вашей болтовней у меня в печенках сидите! Ладно, признаю, и у меня есть свои недостатки! Теперь, надеюсь, вы удовлетворены?

– Я – вполне, – страшно довольный, отвечает Барахлюш. Ему удалось одержать верх над сестрой, а это бывает так редко!

– А я – нисколько! – доносится из пропасти голос Артура. Он заметил гигантского паука и – еще хуже! – догадался, куда этот паук держит путь. Насекомое приближается к нему и явно не для того, чтобы с ним поздороваться. Скорее, чтобы попрощаться.

– Интересно, чем ты недоволен? – спрашивает Селения, наклоняясь над пропастью. – Быть может, ты считаешь, что у тебя нет недостатков?

– Что ты! Совсем наоборот, я глупый, мелкий, ничтожный человек, и мне ужасно нужна твоя помощь, – отвечает Артур, и в голосе его звучат панические нотки.

– Вот это называется честным раскаянием. Запоздалым, конечно, но тем не менее... такое раскаяние приятно слышать, – нарочито громко поздравляет его принцесса.

Паук продолжает путь, стремительно сокращая расстояние между собой и Артуром.

– Селения! На помощь! Тут огромный паук, он бежит прямо на меня! – в ужасе вопит Артур.

Заметив паука, Селения окидывает его оценивающим взором и спокойно говорит:

– Никакой он не огромный, просто обыкновенный паук! Впрочем, ты всегда склонен преувеличивать, – заключает она, нисколько не взволнованная появлением огромного зверя.

– Селения! Помоги мне! Он сейчас сожрет меня! – в панике кричит мальчик.

Селения становится на одно колено и наклоняется к пропасти – чтобы было удобнее поддерживать беседу.

– Конечно, я бы предпочла увидеть, как ты сгоришь со стыда, но... Быть съеденным пауком тоже неплохо! – прочувствованно говорит она, тем самым доказывая, что чувство юмора никогда ей не изменяет.

Одарив Артура лучезарной улыбкой, она встает и небрежно машет ему ручкой.

– Прощай! – весело кричит она и отходит от края пропасти.

Артур остается один на один с чудовищем. Покинутый, растерянный, обессилевший. Словом, не жилец на этом свете. Так что, если бы паук умел облизываться, он наверняка бы это сделал.

– Селения! Не бросай меня, прошу тебя! Я больше никогда не буду смеяться над тобой! Клянусь тебе всеми вашими семью континентами, всем своим большим миром! – умоляет Артур. Но мольбы его не находят отклика. Край бездны, где только что стояла Селения, пуст. Она ушла. Бросила его в беде.

Артур чуть не плачет. Он дерзнул посмеяться над чувствами настоящей принцессы, и теперь его ждет суровое наказание: его сожрет отвратительная восьминогая тварь.

Он пытается выбраться из паутины, но еще больше опутывает себя клейкими нитями. Да, положение – хуже не придумаешь. Каждый толчок, каждая попытка высвободить руку или ногу приводит к тому, что очередной клейкий виток крепко стягивает его тело. Окончательно выбившись из сил, он в отчаянии повисает, опутанный серыми нитями, – словно окорок, приготовленный для отправки в коптильню. Превосходная еда для гурмана. И гурман не заставит себя ждать.

– Селения, прошу тебя, помоги мне, я сделаю все, что ты пожелаешь! – из последних сил кричит Артур.

Словно чертик из коробочки, над Артуром появляется голова Селении.

– Обещаешь больше никогда не смеяться над ЕЕ КОРОЛЕВСКИМ ВЫСОЧЕСТВОМ? – с улыбкой спрашивает девочка.

Артур в ловушке. Он согласен на все.

– Да, клянусь тебе! Обещаю! А теперь развяжи меня поскорее! – умоляет он.

Но Селения не спешит доставать из ножен меч.

– Что? Я плохо слышу! – нарочито медленно произносит она. – В чем ты мне клянешься?

Понимая, что Артур в ее власти, Селения в полной мере хочет насладиться местью.

– Да, Ваше Высочество! – торопится согласиться с принцессой Артур.

– Ваше Высочество? И все?

– Да, Ваше Королевское Высочество! – вопит Артур. От отчаяния голос его звучит как трубный глас.

Селения в раздумье. Что бы еще такое придумать?

– Извинения приняты! – наконец снисходительно извещает она, вздернув носик так, как это умеют делать только принцессы.

Паук совсем близко, из его открытой пасти капает слюна.

Артур хочет закричать, но страх парализовал его, и он только беззвучно раскрывает рот.

Паук неумолимо надвигается на мальчика. Он огромный, туловище его выступает над краями расселины.

Селения вскакивает и, проделав замысловатый пируэт, наносит пауку сильный удар в челюсть.

Зашатавшись, как пьяное, насекомое останавливается. Потом трясет головой, словно проверяя, все ли в порядке, затем щелкает челюстями. Челюсти издают звук, напоминающий скрежет ржавого железа...

Селения пристально смотрит пауку прямо в глаза.

– Иди отсюда, толстяк, эта еда тебе не по зубам! Такой обед не про тебя! – надменно заявляет принцесса.

Паук останавливается, словно прислушиваясь к ее словам.

Артур не верит своим ушам. Не верит своим глазам. Принцесса разговаривает с огромным пауком!

Еще несколько часов назад эта сцена показалась бы ему сном. А если бы он рассказал этот сон бабушке, та бы отправила его в постель и на всякий случай дала бы ему таблетку аспирина.

Вытянув руку в сторону удобно примостившегося на камешке Барахлюша, Селения щелкает пальцами.

– Барахлюш, конфетку! – приказывает принцесса.

Барахлюш роется в карманах и вытаскивает круглый, похожий на «чупа-чупс», леденец на палочке, завернутый в великолепный фантик из лепестков розы.

Брат кидает конфету сестре, и та ловит ее на лету. Она разворачивает леденец. Под действием воздуха он раздувается, словно гигантский воздушный шар.

– Держи, потом расскажешь, вкусно ли было! – говорит Селения, ловко запихивая розовый шар в рот паука.

Насекомое замерло, словно младенец, впервые оторвавшийся от маминой руки. Глаза паука устремились на торчащую у него изо рта палочку, а сам он застыл в ожидании. Интересно, чего он ждет?

– А теперь иди и ешь свою конфету. Она клубничная, – говорит пауку Селения.

При этих словах паук начинает шумно сосать конфету.

Его кроваво-красные глазки постепенно становятся цвета недозрелой клубники и принимают миндалевидную форму.

Селения улыбается пауку.

– Хороший мальчик! – говорит она, прежде чем направиться к Артуру, спеленутому по рукам и ногам.

Вытащив меч, Селения обрезает предательские нити и помогает мальчику выбраться на твердую землю.

– Ты спас мне жизнь, я спасла тебе жизнь, теперь мы в расчете, – говорит Селения таким тоном, словно сообщает счет футбольного матча.

– Ничего ты мне не спасла! – возмущается Артур, глядя на принцессу. – Ты с самого начала знала, что я ничем не рискую! Ты просто хотела заставить меня надавать дурацких обещаний!

– Но и ты прекрасно знал, что ничем не рискуешь! Сделав первый шаг назад, ты обернулся и заметил паутину, которая предотвратила твое падение. Месье захотел поиграть в хитреца, но сам попался в свою же ловушку! – парирует Селения, и голос ее звучит угрожающе.

– А мадам разыгрывает из себя железную леди! Но, когда ее деревянный человечек исчезает, хнычет, словно Мальвина и Пьеро вместе взятые! – раздраженно отвечает Артур.

– Что за очаровательная парочка! – слушая их перепалку, умиляется Барахлюш. – Долгими зимними вечерами вы друг с другом не соскучитесь!

– А ты не вмешивайся, когда тебя не спрашивают! – в один голос заявляют Селения и Артур.

– Ты говорил, что готов умереть за меня, а сам всего лишь посмеялся надо мной! Ты гнусный лжец! – продолжает возмущаться принцесса.

– Знаешь, что я тебе скажу? Ты всего лишь...

Но тут Селения обрывает его:

– Ты забыл, какое обещание дал мне всего несколько минут назад?

От неожиданности Артур больно прикусывает язык, так что на глазах у него даже выступают слезы. Он понимает, что угодил еще в одну ловушку и, если срочно ничего не придумает, крышка ее захлопнется над ним навсегда.

– Ну, обешшал... но обешшание быво даво под угьёзой... под стъяхом смершши! – отчаянно шепелявя, отнекивается он.

– Ты уходишь от ответа: так ты обещал или нет? – продолжает допрос Селения.

– Ну, обещал, – скрепя сердце соглашается Артур.

– А дальше? Кому ты это обещал? – спрашивает Селения, намереваясь извлечь из мальчика все слова клятвы.

Артур тяжело вздыхает.

– Обещал Вашему Королевскому Высочеству, – по-солдатски рапортует Артур, разглядывая носки своих кроссовок.

– Вот так-то лучше! – примирительно говорит Селения.

Затем она ловко вскакивает верхом на мохнатую ногу животного.

– Живей, за мной! – приглашает она своих спутников.

Прыгая с камня на камень, Барахлюш подбегает к пауку, обхватывает мохнатую паучью ногу и, помогая себе всеми конечностями, добирается до сестры и обхватывает ее за талию.

Он очень доволен: наконец-то они будут путешествовать с комфортом! В самом деле, на мохнатой ноге паука Барахлюш расположился со всеми удобствами, как персидский шейх на шелковых подушках.

– Ты идешь? – окликает сверху Барахлюш Артура.

Артур стоит и все еще не верит собственным глазам. Меньше чем за пять минут чудовищный паук, только что собиравшийся сожрать его, превратился в огромного, вполне добродушного лохматого дромадера!

Принцесса отвесила ему оплеуху, подсластила шлепок конфеткой, и паук стал послушен, как ягненок. От такого зрелища даже у Алисы, привыкшей к волшебствам Страны чудес, и то сдали бы нервы!

– Эй, поторапливайся! Мы уже потеряли много времени! – вновь зовет его Селения. – Или ты предпочитаешь бежать следом, как верный милун?

Артур не знает, на кого похож этот милун, зато прекрасно знает, какое домашнее животное преданно бежит за своим хозяином.

Артур собирает все свое терпение в кулак и карабкается по длинной мохнатой лапе. Ни особого мужества, ни мастерства этот подъем не требует. Добравшись до паучьего колена, он устраивается на корточках за спиной у Барахлюша.

– В путь, приятель! – кричит Селения, ударяя ногой в круглый бок насекомого.

Паук выбирается из расселины и резво бежит по кирпичной дорожке, словно лохматый як по горной тропе Гималаев.

ГЛАВА 4

– Как так исчез? – восклицает мать Артура, в растерянности опускаясь на диван.

Отец садится рядом с женой и одной рукой обнимает ее за плечи.

Бабушка стоит перед ними, смущенно теребя платочек, – как школьница, получившая двойку за контрольную.

– Не знаю, с чего начать, – бормочет бабушка, прекрасно понимая, что она одна виновата в случившемся.

– Начинайте с самого начала, – мрачно произносит отец.

Откашлявшись и прочистив горло, бабушка поправляет платье: она не привыкла выступать перед такой строгой аудиторией.

– Так вот, в первый день по приезде погода была прекрасная. Впрочем, погода была прекрасная и во все последующие дни. Вода в речке была на редкость теплая, и Артур решил пойти половить рыбу. Мы взяли удочки, принадлежавшие еще его дедушке, и отправились в путешествие, завершившееся на краю сада...

Слушатели никак не реагируют, и это можно объяснить двумя причинами: либо рассказ о приключениях Артура на рыбалке захватил их, либо они решили, что бабушка постыдно тянет время.

– Вы даже представить себе не можете, сколько рыбок этот малыш может поймать за час! Попробуйте, угадайте! – с энтузиазмом восклицает бабушка. Но парочка шутить не намерена.

Родители переглядываются: их интересует не количество пойманных их очаровательным сыном рыбок, а продолжительность времени, в течение которого бабушка собирается морочить им голову.

– Не могли бы вы оставить в стороне рыбалку и прочие занятия нашего сына и начать рассказ непосредственно с того дня, когда он исчез?! – восклицает отец, чье терпение подходит к концу.

Старушка вздыхает. Она хотела выиграть время, но только зря измотала себе нервы. Чуда не произошло – Артур не появился, а значит, она впустую потратила время на бессмысленные ухищрения.

Ее внук исчез. Пора согласиться с этой печальной реальностью.

Она садится на кончик стула, словно боится кому-то помешать, и глубоко вздыхает.

– Каждый вечер я рассказывала внуку об Африке, показывала книги и дневники его деда. В этих дневниках и книгах очень много познавательного. Арчибальд был не только исследователем, но и поэтом, и в его записях есть много сказок и легенд, например сказки народа бонго-матассалаи и их маленьких друзей минипутов, – дрожащим голосом объясняет бабушка.

Вспоминать о пропавшем муже для нее всегда большое испытание. Время не исцелило эту рану, она по-прежнему ощущает горечь утраты. Арчибальд исчез четыре года назад, но для нее это случилось вчера.

– А какое отношение имеют эти книги и записи к исчезновению Артура? – сухо спрашивает отец, отвлекая бабушку от воспоминаний.

– Понимаете... Арчибальда и Артура очень интересовала одна история. Они оба увлекались легендами о минипутах, и...

Артур был уверен, что минипуты не просто существуют... а существуют именно в нашем саду, – неожиданно завершает бабушка.

Оба родителя смотрят на нее, как два барана на новые ворота.

– В этом саду? – переспрашивает отец, желая, видимо, убедиться, что он не ослышался и бабушка по-прежнему несет чушь.

Бабушка утвердительно кивает, и лицо ее становится еще печальнее.

Отец осмысливает сказанное ею, но так как соображает он туго, то для этого ему требуется много времени.

– Согласен, – наконец произносит он. – Предположим, у вас в саду действительно живут минипуты. Собственно, почему бы и нет? Но какое это имеет отношение к исчезновению Артура?

Связать вместе полученную информацию он явно не в состоянии.

– К несчастью, когда мы приступили к именинному пирогу, прибыл месье Давидо, а вы сами знаете, как Артур быстро все схватывает! – восклицает бабушка, никогда не упускающая возможности сделать комплимент внуку.

– А кто такой этот Давидо? И что он делал в пироге? – спрашивает отец, окончательно переставший понимать, о чем идет речь.

– Давидо – владелец большой корпорации и бывший собственник этого дома. Он хочет вернуть дом или же получить за него деньги. Артур мгновенно понял, что у нас проблемы с деньгами. Тогда он вбил себе в голову, что ему непременно надо отыскать сокровище, спрятанное его дедом, – объясняет старушка.

– Какое сокровище? – оживляется отец. У него внезапно пробуждается интерес к бабушкиному рассказу.

– Рубины, подаренные вождем племени бонго-матассалаи. Арчибальд привез их из Африки и закопал где-то здесь, в саду.

– В саду? – переспрашивает отец. Похоже, он в состоянии запомнить только то, что интересует его непосредственно.

– Да. Но сад большой, и поэтому Артур хотел попасть к минипутам, чтобы они показали ему, где спрятано сокровище, – заключает бабушка, довольная собственной логикой.

Отец все еще не может связать обрывки мыслей. Сейчас он больше всего напоминает сеттера, в растерянности топчущегося возле кроличьей норы.

– У вас есть лопата? – неожиданно спрашивает он, плотоядно улыбаясь и хлопая глазами.

За окном ночь готовится вступить в свои права. Изрезанное длинными синими полосами небо напоминает раскрашенную шкуру зебры.

Перед крыльцом стоит родительский автомобиль, пучки света от горящих фар желтыми лучами пронизывают сад.

В саду громко пыхтят и охают. В желтоватом свете видна свежевырытая яма. Время от времени из ямы показывается лопата: она выбрасывает на траву кучку черной земли.

Другая лопата, менее проворная и менее нагруженная, взлетает над другой ямой и тоже выбрасывает на траву свежую землю.

Тяжко вздыхая, бабушка сидит на верхней ступени крыльца и смотрит на изменившийся сад. Сейчас он больше всего напоминает поле битвы. Повсюду зияют ямы и высятся кучи земли, словно в саду поработал гигантский свихнувшийся крот. Впрочем, кроты не имеют привычки реветь. А из одной ямы только что раздался громогласный рев. И высунулась голова.

Голова эта принадлежит отцу Артура, однако узнать его очень трудно, так как лицо его выпачкано землей. У него сломалась лопата.

– Как можно что-то отыскать с таким дурацким инструментом? – возмущается он, в ярости отбрасывая переломившийся черенок.

Над краем другой ямы показывается голова его жены, также вся в земле.

– Успокойся, дорогой! Не стоит нервничать! – говорит мать Артура.

Ей прекрасно удается сводить употребление слов к минимуму. А вот поддерживать в порядке свой внешний вид не получается: платье, в котором она приехала, превратилось в мятую грязную тряпку, один рукав оторвался и болтается на ниточке.

– Дай мне твою лопату! – раздраженно говорит отец. Он вырывает из рук жены лопату и вновь ныряет к себе в яму. Из ямы летят комья земли.

Бабушка в отчаянии.

Чувствуя себя опустошенной, ничтожной и бесполезной, бабулечка, несмотря на присущую ей энергию, являет собой легкую добычу для страшной болезни, именуемой депрессией, – гнусного недуга, подхватив который, человек отказывается бороться с возникшими на его пути трудностями. Наверное, бабушкина депрессия пряталась глубоко под землей, а теперь непрошеные копатели выпустили ее наружу.

– Зачем искать клад, если Артура все равно нет и он не может им воспользоваться? – спрашивает бабушка упавшим голосом.

Вынырнувший из ямы отец пытается утешить ее.

– Не беспокойтесь, бабулечка. Ну, может, он и потерялся, но только чуть-чуть. Я знаю своего сына – он всегда такой непоседливый. И при этом ужасный гурман, поэтому он непременно вернется к обеду, – добавляет отец своим самым убедительным тоном.

– Но сейчас уже десять, время ужинать, – уточняет бабушка, сверяясь с часами.

Высунувшись из ямы, отец убеждается, что действительно наступает ночь.

– А? Что? Ах да, вы правы, – соглашается он и с удивлением констатирует: как быстро летит время, когда ищешь клад!

– Но это ничего, он придет и сразу отправится спать, и таким образом мы сэкономим один ужин, точнее, половину ужина.

– Франсуа! – возмущается мать.

– Не волнуйся, это я шучу, – защищается отец. – Разве ты не помнишь пословицу «Кто спит, тот обедает»?

Его жена продолжает ворчать – просто так, для порядка.

– Кстати, насчет обеда... так как спать я не хочу, то и желудок мой тоже спать не собирается, – говорит отец, намекая на то, что он лично вполне готов что-нибудь съесть.

– У меня остался кусочек именинного пирога Артура, – поддерживает разговор бабушка.

– Превосходно! – радостно восклицает отец. – Раз нас не было на дне его рождения, мы имеем полное право отпраздновать это событие!

– Франсуа! – раздается плаксивый голос матери. В ее словаре это имя занимает особое место: она произносит его часто и всегда с упреком.

ГЛАВА 5

– Я умираю с голоду! – громко заявляет Барахлюш.

Тело паука размеренно колышется, сидящие на лапе минипуты раскачиваются в такт, и от этой тряски желудок юного принца дает о себе знать.

– Ты, главное, не забывай предупреждать нас, когда ты есть не хочешь, – язвительно откликается его сестра.

– А разве хотеть есть – это преступление? Что-то я никогда такого не слышал! И вообще мы не ели уже несколько селенелей! – ворчит принц, держась руками за живот, словно тот, не встретив понимания, намеревается сбежать в более понятливое тело. – К тому же мой организм растет, значит, ему нужен материал для роста! Что, разве я не прав?

– Прав. Но сейчас твоему организму придется потерпеть, так как мы уже у цели! – говорит Селения, прерывая дискуссию в самом зародыше.

Впереди начинается каменный туннель, перед которым зияет широкий разлом: давным-давно в это место ударила молния. Камень по краям разлома искрошился... а может, это огромное древнее чудовище яростно изгрызло его своими острыми зубами.

В дальнем углу разлома виднеется темное, затянутое слизью отверстие, напоминающее колодец. Вода, сочащаяся из стен разлома, капает вниз совершенно бесшумно: дно так глубоко, что звук разбивающихся капель не долетает до поверхности земли.

Селения и оба мальчика крепко вцепляются в шерсть, покрывающую лапу паука, и толстый скакун с размаху плюхается в разлом. В отличие от минипутов, для него это всего лишь небольшое углубление. К счастью для наших героев. Ведь если бы им пришлось спускаться по мокрым стенам, они могли бы сорваться в каменную пропасть, что, согласитесь, не слишком приятно.

Очутившись на дне разлома, принцесса, не объясняя ничего своим спутникам, отправляется на поиски и довольно быстро находит то, что искала, а именно табличку со словами: «Проход запрещен». Для тех, кто не в ладах с грамотой, под надписью на всякий случай нарисован череп с костями.

– Значит, это точно здесь! – радостно восклицает принцесса, словно обнаружила пятизвездочный отель на необитаемом острове.

Заглянув в дыру, края которой обильно перемазаны черной тухлой слизью, Барахлюш звучно сглатывает. Видимо, он пытается запихнуть свой страх поглубже в желудок.

Артур тоже заглядывает в дыру.

Внутри ничего нет. Пустота. Ни малейших признаков жизни.

– А нет ли другого входа, менее мрачного? – спрашивает Барахлюш. Наверное, он так и не сумел загнать страх в желудок.

– Это главный вход! – сообщает принцесса; на нее мерзкая дыра, видимо, не произвела никакого впечатления. Интересно, если это главный вход, то как тогда выглядит вход служебный?

Артур обводит усталым взором лица своих спутников. За последние двадцать четыре часа он пережил столько невероятных приключений, что у него уже нет сил чему-либо удивляться. Он решил больше не задавать никаких вопросов. А главное, ни за что не выдавать своих истинных чувств к принцессе. Хотя, если честно признаться, он и сам не знает, какие они, эти его чувства...

Принцесса хватает паука за бороденку и тянет его к зияющей дыре.

– Давай, толстячок! Сделай нам прочную нить, чтобы мы могли спуститься вниз, – уговаривает она паука и для вящей убедительности чешет ему под подбородком. От удовольствия паук прикрывает миндалевидные, цвета недозрелой клубники глаза. Кажется, еще немного – и он замурлычет. Вскоре он начинает пускать слюни и быстро-быстро шевелить челюстями – ткать тонкую прочную нить. Подбежав к краю ямы, паук клейкой слюной прикрепляет нить к земле, а сам, продолжая ткать, втискивается в дыру и вскоре исчезает из виду. Вместо него с края ямы свешивается длинная нить, конец которой – разумеется, вместе с пауком – теряется во мраке.

Ждать приходится довольно долго. Наконец паук, весь перепачканный, выбирается из ямы. Хочется надеяться, что он дотянул нить до самого дна колодца.

Впрочем, уверена в этом только принцесса. Сейчас она ужасно жалеет, что выбросила рюкзак брата, – там наверняка нашлась бы конфетка для поощрения достойного паука. Но делать нечего, и, превозмогая отвращение, Селения чешет грязное брюхо насекомого.

Не получив ожидаемой награды, паук обиженно хрюкает и убегает в поисках чистой воды.

Барахлюш боится доверить свою особу тонкой серой паутинке.

– Если написано: «Проход запрещен», да еще нарисованы череп и кости, значит, здесь что-то не так!

– По-здешнему это означает «Добро пожаловать», – ехидно замечает принцесса.

– Ты что, хочешь сказать, что в эту дыру народ валом валит? – возмущается Барахлюш.

Селения нервничает. Ей надоели замечания ее противного зануды братца.

– А ты хотел увидеть плакат: «Добро пожаловать в Некрополис, во дворец правителя и в его личную темницу»? – раздраженно отвечает она.

Юный принц оставляет ее реплику без ответа.

– Полагаю, всем ясно, что надпись не следует понимать буквально, как это сделал господин Барахлюш. Нас приветствуют и говорят нам: «Добро пожаловать в ад». Так что за мной идут только те, кто готов вступить в бой, – произносит Селения и, не дожидаясь ответа мальчиков, берется за нить и, обхватив ее ногами, соскальзывает в темноту. Шелестящий звук, с которым она скользит по паутинке, становится все тише и наконец пропадает вовсе.

Барахлюш наклоняется над дырой: сестры уже не видно.

– Я, пожалуй, останусь покараулить паука, а то как бы он не убежал! – говорит Барахлюш. Смелость его явно не переполняет.

– Как хочешь, – отвечает Артур, хватаясь за нить.

Вспомнив, как на уроках физкультуры его учили лазать по канату, он, скрестив ноги и обхватив ими нить, начинает медленно спускаться.

Когда свет в колодце становится совсем тусклым, ему в голову закрадывается непрошеная мысль: а если паук не дотянул до дна свою паутинку? Увы, об этом надо было спросить у него раньше!

– Я буду сторожить паука, и, когда вы вернетесь, он моментально домчит нас домой! – раздается сверху голос Барахлюша.

«Если вернемся», – уточняет про себя Артур, боясь оказаться провидцем.

– Обязательно вернетесь! – словно услышав его мысли, кричит ему вслед Барахлюш.

Отойдя от края колодца, юный принц садится на землю и начинает думать. Но быстро понимает, что занятие это совершенно бесперспективное. Для него ясно одно: торчать возле темного колодца, пусть даже в обществе добродушного паука, его нисколько не привлекает.

Ослабив хватку, Артур стремительно скользит по паутинке. И через несколько секунд его окружает непроглядный мрак.

Барахлюш ежится от холода. Нет, ни за что на свете не станет он спускаться по этой тонкой ниточке! Уж лучше общество паука!

Подпрыгивая, чтобы разогнать страх и холод, он старается убедить себя, что самое худшее уже позади. Обстановку вокруг него никак нельзя назвать приветливой.

Сырые стены разлома источают влагу, собирающуюся в крупные капли. Когда капли становятся достаточно тяжелыми, они отрываются от стен и с глухим уханьем падают на пол. Эхо разносит эти звуки далеко-далеко, и вскоре они возвращаются, многократно усиленные и от этого еще более жуткие. Похожие на вопли страдальцев, сидящих в подземных застенках.

Опасаясь нападения с тыла, Барахлюш принимается ходить по кругу.

Постепенно он различает на стенах разлома какие-то непонятные фигуры.

Переборов терзающий его страх, он подходит ближе.

Действительно, в каменных стенах выбиты рисунки, по которым стекает сочащаяся из стен вода. Рисунки – сплошные черепа – отливают зловещим черным блеском. Кое-где к черепам подрисованы туловища-скелеты.

На лице Барахлюша читается отвращение. Он не любитель такой наскальной живописи – она, на его взгляд, не предвещает ничего хорошего. Тем более что у подножия стены, прямо под рисунками, копошатся мелкие грызуны, которые, словно исполняя чей-то зловещий заказ, обгладывают очередной скелетик.

Барахлюш делает шаг назад и поскальзывается, неудачно наступив ногой на свежеобглоданную кость – та хрустит и крошится. Юный принц подскакивает от ужаса и, оглядевшись, обнаруживает, что дно разлома усеяно костями. Возможно, здесь когда-то было кладбище, где покойников ленились закапывать.

Барахлюш в ужасе взвизгивает, и эхо присоединяет его визг к зловещему шуму падающих капель.

Барахлюш со всех ног бросается к пауку.

– Ты мне нравишься, приятель, но, пожалуй, мне нельзя оставить их одних! Без меня они, того и гляди, наделают глупостей! – объясняет он насекомому, которое смотрит на него и не понимает, чего от него хотят.

Барахлюш вцепляется руками в паутинку и, даже не обхватив ее ногами, скользит вниз. Только бы поскорей убраться из этого кошмарного места!

– Уж лучше ад, чем страх одиночества! – подбадривает он себя, проваливаясь в черный мрак зловещей дыры; ни единого огонька нет на его пути. Если бы колодец был освещен, вряд ли Барахлюш отважился бы спуститься в него. В темноте, по крайней мере, не видны его омерзительные стены.

Отец Артура стоит в вырытой им яме.

Он даже вздремнул немного, обняв лопату. Процесс копания утомил его. Частота появлений лопаты над краем ямы уже не та, что была вначале. Теперь, чтобы увидеть лопату, следует заранее договориться с ней о свидании. Да и земли эта лопата выбрасывает уже не так много. Отец не готов прокопать подземный ход к сокровищам – если эти сокровища закопаны в другом конце сада. Пес Альфред, как и подобает примерному караульному, регулярно совершает обход обеих ям.

Им движет отнюдь не солидарность с копающими или сочувствие к ним: нет, он проверяет, не нашли ли они случайно его собственный клад – добрый десяток мозговых костей, которые он заботливо припрятал на черный день. Альфреду прекрасно известны основы экономики.

Походкой образцовой супруги мать выходит из дома с подносом в руках. На нем стоит хрустальный кувшин с кубиками льда и блюдечко с дольками очищенного апельсина.

– Дорогой! – нараспев зовет она, осторожно, словно по минному полю, пробираясь между земляных куч.

У бедняжки плохое зрение, поэтому даже при полной яркой луне, которая сегодня сияет на небе, она мало что различает вокруг себя. Ей прописаны очки, но природное кокетство заставляет ее прятать их в сумочку, особенно в обществе.

Кокетство ей дорого обходится: не заметив лежащую у нее на пути собаку, она острым каблучком наступает Альфреду на хвост.

Катастрофа, которую предчувствовала бабушка, случилась. Альфред подпрыгивает и с жутким воем мчится вперед не разбирая дороги. Комья свежевынутой земли летят из-под его лап, словно шрапнель.

Собачьему вою вторит пронзительный визг матери Артура. Не разобравшись, что случилось, она в испуге бросается бежать от страшного места, где на нее кто-то хотел напасть. Но бежать на тоненьких каблучках по изрытому ямами саду вряд ли сумеет даже обладатель превосходного зрения в яркий солнечный день. Шаг вперед, шаг назад – и мать, вцепившись обеими руками в поднос, падает в ближайшую яму. Единственное утешение – там она воссоединяется с супругом.

Однако супруг вовсе не рад появлению своей прекрасной половины, скорее наоборот. Дело в том, что во время падения жене удается ухватить кувшин за ручку и спасти посудину – но не ее содержимое. Кусочки льда градом обрушиваются на ничего не подозревающего супруга. От неожиданности он издает нечеловеческий крик и, отбиваясь от льдинок, норовящих проскользнуть за шиворот, яростно размахивает руками.

Первым приходит в себя Альфред. Сообразив, что ему ничего не угрожает, пес останавливается, отряхивается, избавляясь от застрявших в шерсти комочков земли, и степенно направляется к яме, откуда доносится пронзительный возмущенный голос.

Это супруг устраивает выговор жене, однако понять его слова не представляется возможным: после ледяного душа он так замерз, что ему свело челюсти, и звуки, с возмущением вылетающие у него изо рта, нисколько не похожи на человеческую речь. А судя по недоуменному виду Альфреда, они не имеют отношения и к собачьей речи.

– Неужели нельзя быть немного поосторожнее? – наконец членораздельно выпаливает супруг.

От огорчения бедняжка жена забыла все слова извинения. Но, упорно желая показать, сколь велико ее раскаяние, она подбирает с земли упавшие кусочки льда и старательно складывает их обратно в кувшин.

На крыльцо с подносом в руках выходит бабушка.

– Может быть, вы хотите горячего кофе? – обращается она к супругам, чьи головы показались над краем ямы.

Муж начинает отчаянно махать руками. При виде подноса он вспоминает о только что принятом им ледяном душе и чувствует, что перспектива снова попасть под душ, пусть даже горячий, ему нисколько не улыбается.

– Стойте на месте! – вопит он так, словно бабушка сейчас наступит на змею. – Я не люблю контрастный душ! – И великодушно добавляет: – Поставьте поднос на землю, я выпью кофе позже.

Не понимая, что происходит, бабушка тихо вздыхает. Разумеется, она знала, что дочь ее вышла замуж за чудака. Но как далеко заходят его чудачества?..

Возражать бессмысленно. Бабушка ставит поднос на крыльцо и молча возвращается в дом.

Крохотным кружевным платочком жена старательно вытирает мужу лицо, точнее, старательно размазывает по нему грязь. Глядя на ее усердие, начинаешь думать, что дома она привыкла выливать воду из ванны с помощью пипетки.

Супруг не наделен даром долготерпения. С гневным ворчаньем он вырывается из рук жены, вылезает из ямы и направляется к дому. За ним ковыляет на каблучках жена, а в арьергарде шествует Альфред. На его взгляд, парочка эта чрезвычайно забавна. Словно ребенок, бегущий за цирковым фургоном, пес трусит за родителями Артура.

Поднявшись на крыльцо, отец набирает полную грудь воздуха и медленно его выдыхает, освобождаясь от кипящего в нем гнева.

Ночь теплая, и рубашка его начинает подсыхать. На него нисходит умиротворение, и он с доброй улыбкой наблюдает, как жена неловкой походкой догоняет его. Очков на ней по-прежнему нет, и потому все ее старания идти быстрее напрасны.

Мысль помочь жене почему-то не посещает голову супруга, зато он готов просить у нее прощения.

– Прости, дорогая, я был с тобой нелюбезен, – признается он, – все случилось так неожиданно! Мне очень жаль, но я не ожидал...

И так далее.

Заботливость мужа растрогала жену. Она оправляет платье, давая понять, как приятны ей его слова.

– Не беспокойся, милый, это все из-за меня. Иногда я бываю такой неловкой! – в свою очередь признается она.

– Нет, нет! – отвечает муж, мгновенно забывший, о чем он говорил только что. – Послушай, дорогая, а не хочешь ли ты кофе?

– С удовольствием! – отвечает она, тая от оказанного ей внимания.

Муж берет чашку, бросает туда два кусочка сахару и добавляет молока. Жена тем временем ищет очки, роясь в многочисленных карманах своего платья. Без очков она не видит крохотного паучка, который спускается по своей паутинке в нескольких сантиметрах от ее лица.

Муж поворачивается к жене и, держа в одной руке чашку, а в другой кофейник, аккуратно наливает горячий кофе в чашку.

– Отличный кофе, как раз то, что надо, – он здорово бодрит!

Принимая во внимание поздний час, он не уверен, что высказывание его правильно, однако возразить ему некому: жена поглощена поисками очков.

Наконец она находит их и водружает на нос. И первое, что она видит, – это огромный паук, шевелящий своими мерзкими мохнатыми лапами в сантиметре от ее носа.

Она испускает крик, напоминающий вопль бабуина, которому вырывают когти. Изумленный супруг шарахается в сторону, наступает на поднос, поскальзывается и падает, растянувшись во весь рост. Кофейник вылетает у него из рук и, расплескав в полете свое обжигающее содержимое, приземляется ему на голову. Вопль супруга напоминает рев мамонта, которому выдирают зуб. И хотя оба крика нисколько не похожи друг на друга, тем не менее в отношениях между супругами царит полная гармония.

ГЛАВА 6

Ужасный вопль, повторенный дважды, слышен на всех Семи континентах; доносится он и до Некрополиса.

Испуганная Селения оборачивается, пытаясь сквозь кромешную тьму разглядеть, что за страшилище издает такие кошмарные звуки. Пронзительный визг, отразившись от скользких стен, стремительно падает в черноту колодца и вскоре смолкает. Артур, преодолев расстояние, отделявшее его от Селении, висит над головой принцессы. Разумеется, он тоже слышит загадочный рев, однако даже не предполагает, что такие звуки могут издавать его родители.

– Добро пожаловать в Некрополис! – криво усмехается принцесса.

– Что ж, неплохо для первого приветствия! – отзывается Артур, чувствуя, как лоб его покрывается холодным потом.

– Приветствие, больше напоминающее последнее напутствие, – без видимой иронии уточняет Селения. – Нам лучше держаться вместе, – добавляет она.

В эту минуту, словно кольцо на кеглю, Артуру на голову сваливается Барахлюш. От неожиданности мальчик разжимает руки и падает, сшибая по дороге Селению. Некоторое время все трое летят по темному глубокому колодцу и наконец с шумом падают на землю. К счастью, они шлепнулись прямо в грязь и она смягчила падение.

– Ну вот, опять ты путаешься под ногами, – недовольно ворчит Селения при виде брата, но на душе у нее становится спокойнее.

Принцесса встает и принимается счищать приставшую к одежде грязь.

– Прости, я не хотел падать, так получилось, – весело оправдывается Барахлюш, не в силах скрыть свою радость. Наконец-то они снова вместе!

Барахлюшу, как всегда, повезло: он свалился на своих друзей и совсем не запачкался.

Выбравшись из черной жижи, Артур тоже начинает чиститься. Неожиданно он обнаруживает, что паутинка, по которой они спускались, свернувшись, словно змея, лежит тут же в луже. Падая, кто-то попытался ухватиться за нее, и она, не выдержав натяжения, оборвалась. Селения тоже видит это, однако на нее оборванная паутинка не производит никакого впечатления.

– Как же мы вернемся без лестницы? – обеспокоенно спрашивает Артур.

– А кто тебе сказал, что мы вернемся? – насмешливо отвечает Селения. – Если мы сумеем выполнить задание, у нас будет достаточно времени подумать о возвращении. А если нет, извини... – И она выразительно разводит руками.

Мальчик не устает удивляться решительности и отваге юной принцессы: она любой ценой готова выполнить возложенную на нее миссию!

И действительно, заметив вход в очередной туннель, она, вздернув носик, решительным шагом вступает под его своды. Эта девчонка не боится ничего и никого!

А может, она просто не хочет думать о будущем, о том, что ждет ее через два дня? Или, к примеру, не хочет разобраться в собственных чувствах? А вдруг Селения специально выбросила из головы все мысли, кроме тех, что связаны с их опасным заданием? Ведь гораздо проще идти к поставленной тебе цели, чем самому делать выбор...

Вот о чем думает Артур. Но мальчик еще слишком мал, чтобы четко все сформулировать, и ему не остается ничего другого, как вместе с Барахлюшем молча следовать за их предводительницей.

Пройдя очередной туннель, наши герои зашагали по узкой тропе, вскоре сменившейся широкой торной дорогой: похоже, это и есть главная улица Некрополиса.

Задача ребят усложняется: им необходимо стать тише воды и ниже травы, слиться с дорогой, смешаться с толпой, словом, не привлекать к себе внимания местных жителей. К счастью, на главной улице кого только нет! В основном это торговцы, направляющиеся на рынок продавать свои товары. Многие из них едут на повозках, запряженных гамулями. Держась в тени груженой телеги, можно долго оставаться незамеченным.

Селения беззвучно скользит в толпе, медленно текущей в сторону большого рынка, раскинувшегося в центре Некрополиса. При виде этого огромного пестрого торжища Артуру становится не по себе. Он не подозревал, что под землей кипит такая бурная жизнь.

Запретный город ничем не похож на его тихий городок с единственным супермаркетом на центральной площади, куда он с бабушкой ездит за покупками.

Рынок Некрополиса больше всего напоминает шумный восточный базар. Здесь можно купить все, любой контрабандный товар, поэтому многие приходят сюда вооруженными до зубов – ведь никогда не знаешь заранее, как в таком подозрительном месте будет заключена сделка. Протискиваясь сквозь толпу, Селения крепко сжимает рукоять меча.

Между торговыми рядами бродят всевозможного толка и вида наемники, бродяги, готовые продать свои услуги тому, кто больше заплатит. Уличные торговцы, не желающие платить налоги, устраивают свару за место возле ворот. Несколько ушлых проходимцев поставили посреди дороги игорные столы, за которыми каждый может попытать свое счастье. Если нет денег, можно поставить на кон гамуля или пару ягод смородины. Никто не знает, будет ли выигрыш, но денег и нервов потеряешь изрядно. Над торговыми рядами в выбитых в скале нишах разместились крохотные кафе – на два-три столика.

Огненный Джек здесь, похоже, пьют даже младенцы.

У Артура глаза разбегаются. Смешение стилей, сочетание восточного базара с салуном дурного пошиба производят на него странное впечатление. Он не понимает, как может функционировать организм, каждая клеточка которого противостоит всем окружающим ее клеткам. Но одно связующее звено все же есть – это осматы.

На каждом углу на специальных возвышениях стоят караульные будки, где сидят осматы и наблюдают за этим вавилонским столпотворением. Наблюдение ведется и днем и ночью. Поэтому все тихо и спокойно, и каждый знает, что Ужасный У не простит нарушителя его законов.

Захватив власть в Некрополисе, Урдалак быстро организовал рынок.

Встав во главе полчищ осматов, специально обученных грабежу и разбою, Ужасный У разбогател, совершая набеги на земли семи континентов. Однако настоящего богатства разбоем и грабежом не накопишь. Всем известно, что подлинные сокровища кроются в недрах земли, и тот, кто сумеет их оттуда извлечь, станет по-настоящему богатым и могущественным.

Минипуты умели обрабатывать землю и получать высокие урожаи, умели добывать полезные ископаемые и искать клады. Но как только становилось известно о предстоящем набеге орды Урдалака, они тотчас прятались, а свои сокровища зарывали так глубоко в землю, что ни один осмат не мог их найти.

Когда набег кончался неудачей, Урдалак приходил в страшную ярость. После нескольких таких набегов Ужасный У решил создать своим подданным такие условия, при которых они сами понесут ему денежки.

Он редко убивал своих пленников, но поступал так отнюдь не из милосердия. Его гуманность носила чисто коммерческий характер.

– Гибель минипута лишает меня клиента, подданного или работника. Если все минипуты погибнут, кто тогда будет строить мне дворец? – любил повторять он.

Чтобы вытянуть из своих подданных богатства, которые ему не удалось у них украсть, он стал внушать им страсть к игре, а значит – к выигрышу, к жажде обладания несметными сокровищами. А так как помогали ему в этом огромные орды осматов, то многие минипуты попались на его удочку и понесли свои денежки в игорные дома и притоны, доходы от которых поступали к Ужасному У.

Ужасный У приказал построить торговые ряды и стал сдавать там места за большие деньги. Будучи прирожденным коммерсантом, Урдалак организовал рынок в самом центре Некрополиса. Этот рынок быстро превратился в гигантское торжище, приносящее его владельцу огромную прибыль, ибо он брал налог с каждого проданного или приобретенного там товара, вне зависимости от его происхождения и размера.

С любопытством озираясь по сторонам, друзья наши идут по бескрайнему базару. Всем троим очень страшно, ведь на каждом перекрестке высится сторожевая будка, откуда за толпой наблюдает специально обученный осмат.

Но любопытство пересиливает страх. На базаре можно встретить самых невероятных тварей, о существовании которых Артур даже не подозревал. И мальчик смотрит во все глаза. Вот, к примеру, шествует группа неизвестных животных с такими длинными ушами, что при ходьбе им приходится их подбирать: иначе они запутаются в них и упадут.

– Кто они такие? – спрашивает изумленный Артур.

– Чулкодлины-пушер. Они с третьего континента, приходят сюда стричься, – объясняет Барахлюш.

– Что значит «стричься»? – еще больше изумляется Артур.

– Мех этих существ считается очень ценным, поэтому они приходят на рынок и продают свою шерсть. Шерсть отрастает дважды в год, значит, и на рынок они приходят дважды в год. Так они зарабатывают себе на жизнь. А все остальное время они спят, – рассказывает Барахлюш.

– А почему у них такие длинные уши?

– Чулкодлины-пушер не убивают животных и не могут сшить себе теплую одежду из шкур для защиты от холода. А зимой в их краях свирепствуют морозы. Поэтому родители с самого детства дергают детей за уши, чтобы уши стали как можно длиннее и зимой в них можно было заворачиваться, как в шубу. Так уж у них принято. Уже несколько тысяч лун чулкодлины-пушер дергают детей за уши, чтобы потом, когда дети станут взрослыми, уши спасали их от холода.

Артур молчит. Как и все мальчики его возраста, он не любит, когда его дергают за уши, даже в день рождения. И ему трудно представить себе, что кого-то можно так долго дергать, что уши у несчастного вытянутся до самых пяток.

На глаза мальчику попадается маленький пушер. Он идет вместе с родителями, которые то и дело дергают его за уши. Малыш не выказывает никакого неудовольствия. Захваченный необычным зрелищем, Артур врезается в столб. Точнее, втискивается между двух столбов. Задрав голову, мальчик обнаруживает, что предметы, принятые им за столбы, на самом деле длинные ноги, на которых раскачивается продолговатое тело. Если сравнивать с земными животными, то существо это больше всего напоминает кузнечика, к которому приставили ноги фламинго.

– Это спаржапых, – шепотом поясняет Барахлюш. – Все спаржапыхи очень высокие и ужасно обидчивые!

Артур незамедлительно убеждается в правоте слов юного принца.

– Не трудитесь извиняться, молодой человек! – раздается обиженный скрипучий голос, и над мальчиком повисает кислая физиономия в очках. Зеленые пятна, украшающие физиономию, делают ее похожей на защитную маску агента специального назначения.

– Извините меня, пожалуйста! – вежливо говорит Артур, задирая голову. – Я не хотел вас обидеть!

– Ну вот, он еще и извиняется! А мог бы и вообще обогнуть меня. Я не прозрачный! – сердито скрипит спаржапых. – Стоит только прийти на рынок, как, пожалуйста, изволь целый день горбиться и смотреть себе под ноги! Нет, здешние заведения совершенно не приспособлены для моего роста! А сколько оскорблений приходится терпеть от таких малявок, как вы!

– Ах, как я вас понимаю! – любезно соглашается Артур, решив не обижаться на «малявку». – Прежде я тоже был большим и знаю, каково это.

Не понимая, о чем идет речь, спаржапых сердится еще больше.

– Мало того, что вы толкнули меня, так вы еще решили надо мной посмеяться!

– Нет, нет, что вы! – оправдывается Артур. – Я просто хотел сказать, что прежде рост мой был равен одному метру тридцати сантиметрам, а теперь всего лишь два миллиметра. И я хотел сказать... сказать... что очень непросто быть большим в мире маленьких, но... и быть маленьким в мире больших также не слишком сладко.

Артур и его неожиданный собеседник окончательно запутались в словах друг друга и не знают, как им вежливо распрощаться.

Первый шаг делает спаржапых.

– Вы получаете мое прощение! – величественно произносит он, глядя свысока на крошечного человечка с короткими ножками. И, перешагнув через Артура, гордо удаляется.

– Я тебя предупреждал: они крайне обидчивы! – напоминает Барахлюш.

Спаржапых уже исчез из виду, а Артур все еще смотрит ему вслед.

Вскоре взор его привлекает еще одна группа не менее экзотических животных. Это огромные меховые существа, круглые как шарики, с остренькими лисьими мордочками и дюжиной лап, пребывающих в постоянном движении.

– Это шарокири. Они живут в лесах пятого континента, – поясняет Барахлюш. – Они умеют полировать жемчужины. Ты приносишь им испорченную жемчужину, они глотают ее, а через полгода возвращают тебе гораздо более красивую, чем была прежде.

Словно желая подтвердить слова принца, один из шарокири подкатывается к витрине крохотной лавки, разместившейся в скальной нише. На пороге его встречает шитокрыт. Племя шитокрытов, проживающее на далеком шестом континенте, удостоено звания официальных поставщиков товаров в Некрополис. Шитокрыты также наделены правом контролировать уличную торговлю в городе. Эти привилегии дал им сам Урдалак. Ходят слухи, что вождь племени Какакрант некогда спас жизнь Ужасному У, одолжив ему денег на пластическую операцию. Ужасный в долгу не остался и отблагодарил вождя и его племя. Это случилось много лун тому назад, и с тех пор все шитокрыты, прибывающие в Некрополис, быстро богатеют.

Шарокири протягивает одну из лап продавцу, и тот нехотя пожимает ее. Впрочем, возможно, шарокири просто передает ему что-то из лапы в лапу.

Обменявшись с продавцом несколькими словами, которых ни Артур, ни Барахлюш не поняли, шарокири начинает сотрясаться в конвульсиях, словно у него внезапно начались желудочные колики. Шерсть у шарокири несколько раз меняет цвет, пока наконец не становится тошнотворного зеленовато-желтого цвета. Он громоподобно рыгает, и изо рта его вылетает великолепная жемчужина, падающая прямо в подставленную шитокрытом шкатулку из черного дерева. Шарокири принимает свой прежний цвет, а торговец берет жемчужину пинцетом и рассматривает ее. Она действительно великолепна. Кивком головы шитокрыт соглашается принять товар. Шарокири широко улыбается и вновь бьется в конвульсиях, намереваясь, видимо, выплюнуть следующую жемчужину.

Артур впервые присутствует при такой торговой сделке.

Радостный вопль выводит Артура из задумчивости. Барахлюш заметил продавца белликорнов. Подскакивая и подпрыгивая, принц исполняет короткий диковатый танец, вознося хвалы и благодарности небу.

– Что с тобой? – с тревогой спрашивает Артур, глядя на скачущего Барахлюша, чей танец больше всего напоминает бег на месте по острым гвоздям. Барахлюш, у которого уже слюнки текут от нетерпения, бросается другу на шею.

– Это же белликорны в сиропе! На всех семи континентах нет ничего вкуснее белликорнов в сиропе! – объясняет Барахлюш, плотоядно облизываясь.

– Понимаю, но все же объясни: что такое эти самые белликорны? – допрашивает друга Артур. С некоторых пор он не доверяет гастрономическим пристрастиям Барахлюша.

– Селенельное тесто, сваренное в молоке гамуля, обвалянное в сбитом яйце, посыпанное дробленым орехом и залитое сладчайшим сиропом из розовых лепестков, – с наслаждением объясняет Барахлюш – рецепт приготовления белликорнов он знает наизусть.

Артур поддается на уговоры приятеля. Маленький бисквитик кажется ему совершенно неопасным. По форме он похож на крохотные рожки газели: такое печенье иногда делает его бабушка по рецепту, привезенному дедушкой из Африки.

Барахлюш вытаскивает монетку и бросает ее шитокрыту, который ловит ее на лету.

– Прошу вас, господа, – вежливо, как и полагается достойному негоцианту, улыбается шитокрыт. Барахлюш берет белликорн и целиком запихивает его в рот. Издав удовлетворенное квохтанье и сглотнув слюну, он медленно жует, продлевая удовольствие от любимого лакомства.

Видя, с каким наслаждением вкушает лежащую перед ним пищу Барахлюш, Артур сдается. Он берет белликорн и откусывает блестящий от сиропа кончик. И замирает в ожидании. Он прекрасно помнит, какое действие оказал на него Огненный Джек. Ничего не происходит. Сироп тает во рту, сладкое тесто напоминает миндальный кекс.

Артур успокаивается и принимается жевать.

– Скажи... ведь правда, ты никогда не пробовал ничего вкуснее? – с набитым ртом вопрошает Барахлюш; он уплетает уже четвертый белликорн.

Артур вынужден согласиться, что пирожное действительно вкусное и он с удовольствием съест еще штучку.

– Полагаю, вы оценили свежесть моих белликорнов? – спрашивает продавец, сопровождая вопрос столь радужной улыбкой, что ответ на него ясен заранее.

Оба мальчика бодро кивают головами: рты их заняты тестом и сиропом.

– Розы были собраны и сварены сегодня утром, а яйца я оторвал всего час назад! – уточняет хозяин. Он явно гордится своей продукцией.

Артур резко прекращает жевать, рот его раскрывается, и нижняя челюсть опускается так низко, что из нее вываливается кусочек белликорна. Мальчика насторожила одна деталь. Совсем крохотная. В большом мире яйца кладут, собирают, находят, крадут, в конце концов, но никогда не отрывают.

– А чьи это яйца? – как можно спокойнее спрашивает Артур, но лицо его – явно в ожидании худшего – невольно вытягивается. Глядя на столь непросвещенного клиента, продавец снисходительно улыбается.

– Для настоящих белликорнов, пирожных, достойных королевского стола, берется только один сорт яиц. Это яйца зеленых гусениц, оторванные непосредственно от самки, – разъясняет кондитер. – Я не продаю подделок! – гордо заявляет он, и указательный палец его упирается в фирменную бляшку на фартуке. Надпись на бляшке шитокрыта свидетельствует, что в текущем году он является лучшим производителем белликорнов.

Вместо восторженных криков в лицо ему летят остатки недожеванного пирожного.

Кондитер стоит в растерянности. Он потрясен оскорблением, которое невольно нанес ему юный Артур.

– Простите, но у меня аллергия на яйца стрекоз и гусениц, – объясняет Артур, стараясь говорить как можно убедительнее.

Сейчас ему больше всего хочется прополоскать рот. Он оглядывается в поисках воды, не замечая, как лицо кондитера, покрытое крошками теста, наливается гневом.

Пользуясь замешательством торговца, Барахлюш стремительно проглатывает не менее дюжины белликорнов, установив, таким образом, мировой рекорд по поеданию этих пирожных. Затем, понимая, что эта история ничем хорошим не кончится, он хватает Артура за руку и с криком: «Бежим!» – тянет его за собой.

Опомнившись, продавец набирает в легкие побольше воздуха и издает вопль, напоминающий гудок пожарной сирены:

– Охрана, ко мне!!!

От его крика на улице начинается паника, обитатели семи континентов мечутся во все стороны, наступая друг другу на разнообразные конечности. В большом мире такое пестрое столпотворение возможно только в Диснейленде.

ГЛАВА 7

Внезапно кто-то хватает Артура за плечи и с силой дергает назад.

– Сюда! – шепчет Селения, увлекая за собой Артура.

Барахлюш бежит за ними, проглотив по дороге еще парочку белликорнов – он успел основательно набить карманы любимыми пирожными.

Протиснувшись сквозь ошалевшую толпу, наши герои ныряют в первую попавшуюся лавку, где их чуть не сбивает с ног патруль, состоящий из десятка осматов: они выскакивают на улицу и бегом направляются к месту происшествия.

Артур с трудом переводит дыхание.

– Мы же договорились держаться вместе! – кипя от гнева, отчитывает мальчиков Селения. – Мне что, больше делать нечего, кроме как следить за двумя безответственными малышами?

– Прости нас, там было очень много народу и мы застряли в толпе, – извиняется Артур. Понимая, что виноват, он молча проглатывает «малыша». Обижаться он будет в следующий раз.

– Чем больше народу, тем у нас больше шансов остаться незамеченными. Только вести себя надо тихо, – сердито выговаривает нарушителям дисциплины Селения.

Внезапно рядом с ними, словно из-под земли, появляется еще один шитокрыт.

– Можно быть тихим и скромным и вместе с тем элегантным, разве не так? – склонившись к нашим героям, произносит он. Шитокрыт значительно выше всей троицы, и ему приходится изогнуться, подобно змее. – Идемте, взглянете на мою новую коллекцию. Порадуйте себя зрелищем прекрасного! – сладко вещает он и, вытянув длинный змеиный хвост, гостеприимным жестом приглашает детей в модную лавку.

Этот продавец – прекрасный психолог. Ни одна принцесса в мире не сможет отказаться от подобного предложения. Тем более когда в двух шагах от лавки торговец белликорнами, размахивая руками, громогласно рассказывает осматам о разбойном нападении.

Несмотря на природную тупость осматов, начальник патруля довольно скоро понимает, что речь идет о тех самых минипутах, которые оставили с носом Мракоса, сбежав из Ямабар-клуба.

Такого рода новости в Некрополисе распространяются чрезвычайно быстро: во-первых, жители первого континента крайне редко заходят в запретные земли, но еще реже среди них встречаются те, кому удается натянуть нос Мракосу.

Начальник патруля поворачивается к подчиненным.

– Обыщите все лавки, они не должны далеко уйти! – приказывает он.

К счастью для наших героев, солдаты бегут в противоположном направлении.

Начальник хватает за шиворот осмата, трусящего в арьергарде.

– А ты иди и предупреди кого надо во дворце.

Солдат вытягивается в струнку, а потом прыжками, словно кролик, мчится исполнять приказание.

В окно лавки Селения видит, как вестовой осмат мчится мимо со скоростью реактивной ракеты.

– Уверена, что этому осмату дано особое поручение и он бежит во дворец, – говорит Селения своим спутникам. – Значит, последовав за ним, мы тоже попадем во дворец!

Расплатившись с владельцем лавки, принцесса, спрятав лицо под капюшоном новой накидки из меха чулкодлинов-пушер, направляется к выходу.

Следуя ее примеру, Артур и Барахлюш приобретают себе такие же накидки. Теперь ребята похожи на трех пингвинов, переодевшихся эскимосами.

– Заходите к нам еще! – провожает их улыбчивый продавец.

Камуфляж выбран удачно: в пестрых меховых накидках они совершенно незаметны в толпе.

– Могла бы купить что-нибудь полегче, я просто умираю от жары! – скулит Барахлюш, обливаясь потом в своей не по размеру широкой хламиде. – Я пить хочу, – через некоторое время вновь канючит он, – давайте остановимся и попьем!

– То тебе жарко, то ты голоден, то ты хочешь пить! Когда же ты наконец прекратишь ныть на каждом шагу?! – обрывает его принцесса; по тону ее видно, что еще немного и она взорвется.

Вместо ответа Барахлюш что-то бурчит себе под нос.

Селения ускоряет шаг, боясь потерять вестового из виду. Улица, по которой они идут, постепенно расширяется и выходит на огромную площадь, устроенную в просторном гроте, таком высоком, что потолка его не видно.

На подступах к площади, где кишат тысячи зевак, Селения замедляет шаг.

– Биржа Некрополиса, – шепотом сообщает она. Ей не раз рассказывали об этом новшестве Ужасного У, но все, что она себе представляла, было нисколько не похоже на истину. Площадь черна от кишащего на ней народа, толпа волнуется, как бурное море, словно на матче Чемпионата мира по футболу.

Все покупают, продают, ссорятся, спорят, обмениваются, крадут, убегают...

– Я потеряла его! – смущенно объявляет Селения. Это означает, что осмат исчез.

Впрочем, потерять кого-либо в этом столпотворении легче легкого.

– Почему бы нам просто не спросить, как пройти во дворец? Местные жители наверняка должны это знать! – простодушно предлагает Артур.

– Здесь все продается и все покупается. А самым ходовым товаром является информация. Стоит только спросить, как пройти к дворцу, как через минуту на тебя донесут! – объясняет Селения, специально собиравшая сведения о нравах жителей Некрополиса.

Оглядевшись, Артур вынужден признать, что не видит ни одного лица, которому он мог бы довериться. У всех круглые, навыкате глаза, челюсти, полные зубов, очень длинный меховой покров и не поддающиеся счету лапы. И каждый носит с собой целый арсенал – ну прямо настоящий Дикий Запад.

Прижавшись друг к другу, наши герои вглядываются в плотную толпу, пытаясь углядеть какой-нибудь знак, который помог бы им отыскать дворец. Когда глаза их окончательно привыкают к здешнему освещению, Селения первой замечает на противоположной стороне площади монументальный фасад, украшенный устрашающими резными изображениями. Такой портал больше подошел бы музею ужасов, чем дворцу правителя. Но, зная Ужасного У, принцесса ни на минуту не сомневается, что это и есть дворец.

Под предводительством Селении ребята пробираются сквозь плотную, словно творожный пудинг, толпу. Путь занимает у них не менее двадцати минут. Наконец они подходят ко входу во дворец.

– Полагаешь, это здесь? – шепчет Барахлюш. – Для дворца, по-моему, слишком мрачно!

– Принимая во внимание количество стражи у дверей, полагаю, что вряд ли это вход в детские ясли! – фыркает Селения.

Действительно, перед внушительной дверью, запертой на три гигантских замка, выстроились две шеренги осматов, готовых в любую секунду проткнуть каждого, кто осмелится к ним приблизиться, даже если это простой прохожий, который хочет спросить дорогу.

– Видимо, придется воспользоваться служебным входом... – размышляет Селения.

– Прекрасная мысль! – в один голос соглашаются ее спутники, которым нисколько не улыбается вступать в схватку с двумя шеренгами осматов.

Внезапно раздается крик:

– С дороги! С дороги!

Толпа расступается, пропуская караван, состоящий из десяти телег, груженных фруктами, жареными тараканами и прочими лакомствами. Впереди каравана вышагивает пузатый осмат. Каждую телегу тянет впряженный в нее гамуль; из-за большого скопления людей гамули немного нервничают.

Селения решает подобраться к каравану поближе.

– Что это везут? – небрежно спрашивает она у иностранца с круглыми глазами навыкате.

– Это трапеза Ужасного У... пятая за сегодняшний день! – уточняет тощий как щепка чужестранец.

– И сколько раз в день он ест? – завистливо спрашивает Барахлюш.

– Восемь, по количеству пальцев на руках, – отвечает стоящий рядом крохотный старичок.

– Неужели он съест все это? – с беспокойством спрашивает Артур.

– Вовсе нет. Так, пощиплет, и все. Лапку-другую жареного таракана, не более того. Все остальное выбросят в жертвенный источник. Когда я думаю, что одного такого каравана с едой моему племени миниедов хватило бы на целых десять лун, возмущению моему нет границ, – доверительно сообщает старичок; к счастью, он такой маленький, что слова его слышит только наклонившийся к нему Артур.

Возмущенно пыхтя, старичок удаляется, размахивая руками и сочиняя очередную гневную речь против роскоши. Как уже сказано, громкость его голоса, к счастью для него, соответствует росту.

– Действительно, почему бы У не отдавать эту пищу миниедам, раз им так трудно самим добывать ее? – возмущается Артур.

– Все лучше, чем выбрасывать в жертвенный источник, – поддерживает его Барахлюш.

– Ужасный У является живым воплощением зла. Ему хорошо, когда всем вокруг плохо. Ему доставляет удовольствие смотреть на страдания других. Сознание того, что он без особого труда может погубить целый народ, доставляет ему особую радость, – словно повторяя заранее заученный текст, объясняет Селения.

– Но говорят, раньше он был таким же минипутом, как ты и твои земляки, – произносит Артур.

– Откуда ты знаешь? – изумляется принцесса.

– Барахлюш рассказал мне, что давным-давно У прогнали из ваших земель.

Селения мрачно смотрит на брата, и тот, понимая, что ему грозит очередная порция наставлений, старательно глядит в другую сторону.

– И кто только разукрасил фасад этими мерзкими рожами?! – возмущенно произносит юный принц, желая сменить тему разговора. Своим молчанием Селения поддерживает брата, но Артур, не заметив, что этот разговор Селении неприятен, продолжает расспросы:

– Что тогда случилось? Почему его прогнали?

Мальчику хочется побольше узнать о минипутах.

– Это долгая история, и я расскажу ее тебе потом. Если захочешь. А пока у нас есть более важные дела. Следуйте за мной! – командует Селения.

Пробравшись через толпу, принцесса пристраивается рядом с одной из телег. Неожиданно из толпы выскакивает маленький силон и цепкой лапкой хватает жареного таракана, предназначенного для Ужасного У. Сунув таракана за щеку, силон мчится под крыло родителя.

К силону-старшему подбегает стражник – явно с намерением наказать его. Но силон лучезарно улыбается, обнажив все сорок восемь зубов-лезвий, острых, словно бритва. При виде такого мощного распилочного станка осмат вздрагивает, громко икает и отступает.

– Ладно, – снисходительно произносит он, на всякий случай отступая еще дальше, – на первый раз не буду вас штрафовать. Но советую вам крепче держать вашего сорванца, – заключает стражник. У него нет никакого желания знакомиться с челюстями взрослого силона.

В толстой гранитной стене дворца выбита сводчатая арка. Многие тысячи насекомых трудились над ее сооружением. В глубине арки видна тяжелая дверь, украшенная более скромными, чем на портале, но не менее мерзкими изображениями. Караван направляется прямо к этой двери.

При его приближении дверь автоматически распахивается, и повозки медленно, одна за другой, въезжают под мрачные каменные своды.

Народ толпится на почтительном расстоянии от входа, никто не осмеливается переступить невидимую черту, никто не пытается заглянуть в распахнутую дверь.

Никто, кроме наших трех героев, всегда готовых к новым приключениям.

Спрятавшись за огромным валуном, Селения смотрит, как, пропустив последнюю телегу, дверь медленно закрывается.

Сбросив меховой плащ, она принимает стойку прыгуна.

– Здесь наши дороги расходятся, Артур! – шепчет она и, изловчившись, одним прыжком достигает двери.

– Ни за что! – также шепотом отвечает Артур. И устремляется за принцессой.

И сталкивается с неожиданным препятствием: острый клинок упирается ему в горло.

Клинок – в руках Селении: быстрее молнии она выдергивает его из ножен и направляет на резвого поклонника.

– Это моя миссия, и я сама должна исполнить ее, – задиристо говорит она.

– А как же я? Мне что делать? – растерянно спрашивает мальчик. Такого поворота он не ожидал.

– Тебе надо искать клад и спасать свой сад. А я найду Ужасного У и сделаю все, чтобы спасти свой народ.

Голос Селении звучит уверенно: она все продумала и все решила.

– Если мне удастся выполнить возложенную на меня задачу, я вернусь на это же самое место ровно через час. Так что ждите меня здесь, – уточняет она.

– А если у тебя не получится? – на всякий случай спрашивает Артур. Мысль о возможном поражении принцессы его нисколько не радует.

Селения глубоко вздыхает. Она и сама не раз думала о возможности плачевного исхода своего предприятия. Ей прекрасно известно, что победить Всемогущего и Ужасного У неимоверно трудно.

Ее шансы на победу ничтожны, наверное, один шанс из тысячи. Но она – настоящая принцесса, дочь императора Свистокрыла де Стрелобарба Пятнадцатого, наследница трона, которой предстоит сменить отца у руля власти, и она не имеет права отступать.

Пристально глядя Артуру в глаза, Селения, не опуская меча, вплотную подходит к нему.

– Если я потерплю поражение... надеюсь, ты станешь хорошим королем, – произносит она, и в голосе ее впервые не звучит ни насмешки, ни ехидства, ни злости.

Осторожно, по-прежнему не опуская меча, она притягивает к себе голову мальчика и целует его в макушку. Время останавливается. Воздух наполняется радостным жужжанием мириад пчел, несущих в лапках медовые сердечки, с неба веселым дождем сыплются беленькие ромашки. Птички выводят звонкие трели, кудрявые облачка берутся за руки и под счастливое чириканье водят хороводы.

Никогда еще Артур не был так счастлив. Наверное, так бывает, когда мчишься по трассе на тобогане с высокой-превысокой горы, а вокруг светит солнышко, сияет снег, ветер овевает тебя, и кажется, что на свете нет ничего важнее и прекраснее этого спуска.

Дыхание Селении обжигает его, словно жаркий ветер Сахары, а прикосновение ее губ можно сравнить с нежным падением лепестка розы. Чтобы еще раз испытать это прикосновение, Артур готов вечно стоять в той неудобной позе, в какой он стоит сейчас.

Но Селения позволяет себе расслабиться не более чем на пару секунд. Она отходит от

Артура, и внезапно возникший зачарованный мир столь же внезапно исчезает.

Артур никак не может опомниться от поцелуя принцессы. Никогда еще секунда не казалась ему до ужаса короткой и одновременно бесконечной.

Он изумлен, растерян, не знает, что сказать.

Селения ласково улыбается ему.

– Теперь, когда я передала тебе свою силу... распорядись ею разумно, – говорит она.

Когда между дверными створками остается щель размером не более двух миллиметров, принцесса проскальзывает во дворец.

– Но... подожди... не надо... – лепечет Артур, бросаясь к дверям. Но створки уже сомкнулись.

Артур в растерянности. Едва он осознал, что произошло, как уже пора привыкать к мысли, что случившееся больше не повторится.

К нему с радостным воплем подскакивает Барахлюш

– Браво! Отлично! Все было великолепно! – Он хватает Артура за руку и долго-долго ее трясет. – Мои поздравления! Это была самая замечательная свадьба, какую мне только довелось видеть!

– Ты о чем? Что ты такое говоришь? – растерянно бормочет Артур.

– Да о чем же, как не о твоей свадьбе, кретин! Она тебя поцеловала. Значит, вы поженились и будете женаты до тех пор, пока не придет время новой династии. У нас так принято! – объясняет Барахлюш.

– Ты хочешь сказать, что... что поцелуй означает свадьбу? – изумляется Артур. Все же местные обычаи очень странные!

– Разумеется! – подтверждает Барахлюш. – Ах, какая волнительная была свадьба! Такая светлая... такая короткая... словом, фантастическая! – тоном знатока комментирует Барахлюш.

– По-моему, слишком короткая, – замечает Артур, совершенно выбитый из колеи: на его взгляд, серьезный обряд не может быть таким стремительным.

– Да не волнуйся ты! Ты получил самое главное: ее руку и ее сердце. Ну, и чего тебе еще надо? – пожимает плечами Барахлюш. Поистине логика у минипутов железная.

– Знаешь, в нашем мире женитьба занимает гораздо больше времени. Молодые люди знакомятся, потом ходят друг к другу в гости и в кино, читают книжки. А потом молодой человек предлагает девушке руку и сердце. И если та согласна, они идут в церковь, где господин кюре проводит обряд, соединяющий их навеки. И только когда в церкви девушка говорит «да», она дарит свой поцелуй жениху, – объясняет Артур, вспоминая рассказ о свадьбе собственных родителей.

– О ля-ля! Пустое дело! У вас, верно, масса времени, раз вы растрачиваете его на такие глупости! Только тупые головы выдумывают столько церемоний! А у сердца есть всего одно слово, и поцелуй – наилучший способ это слово сказать, – назидательно разъясняет Барахлюш.

Артур пытается уловить суть рассуждений юного принца, но быстро понимает, что занятие это бесполезное. Честно говоря, после неожиданного поцелуя ему неплохо было бы принять пару таблеток аспирина и хорошенько выспаться.

– Послушай, а чего бы ты еще хотел? – наседает Барахлюш, видя, что друг его выглядит совершенно обалдевшим.

– Ну, я не знаю... может быть, это надо отпраздновать? – неожиданно для себя предлагает Артур. Он никак не может собраться с мыслями.

– А почему бы и нет? Великолепная идея! – раздается насмешливый голос, слишком грубый, чтобы принадлежать Барахлюшу.

Друзья оборачиваются и в ужасе видят, как у них за спиной выстраивается целый отряд осматов во главе со своим начальником, страшным Мракосом, единственным сыном Ужасного У.

Когда Мракос улыбается, кажется, что сейчас он кого-нибудь прикончит. Улыбка у него на редкость неприветливая. Даже если бы он чистил свои черные зубы пятнадцать раз в день, вряд ли бы это что-нибудь изменило.

Ленивым шагом победителя Мракос подходит к Артуру.

– Если позволите, я сам устрою вам праздник! – произносит он с таким выражением, что даже у осматов не остается никаких сомнений в его кровожадных намерениях.

Артур все понял – первый поцелуй Селении станет последним поцелуем в его жизни.

Тем временем в большом мире мать Артура сидит на кухне. На столе лежат десять маленьких именинных свечек, но так как ни пирога, ни Артура больше нет, значит, и зажигать их нечего.

Десять маленьких свечек, по одной на каждый год, прожитый маленьким человеком. С каждым годом человек подрастал, словно крошечное деревце, становился милым и шаловливым.

Бедная мама прекрасно помнит каждый год жизни единственного сына. Ни один год не похож на другой.

В первый год крошка Артур завороженно смотрел на пляшущее перед его глазами пламя свечи.

На второй год малыш своими слабыми ручонками попытался поймать крохотные огоньки, которые проскальзывали у него между пальцами.

На третий год он попытался сам задуть свечи на именинном пироге, однако дыхание его было слишком легким, и ему пришлось дуть трижды.

На четвертом дне рождения он задул свечи с первого раза.

Когда ему исполнилось пять лет, Артур сам, под руководством отца, разрезал именинный пирог. Нож был большой, и отец очень волновался, сумеет ли малыш с ним справиться.

Главным событием шестого дня рождения стал дедушкин подарок: дед вручил ему свой походный нож, и этим ножом Артур разрезал именинный пирог. Это был последний день рождения, который мальчик отмечал вместе с дедом.

Бедная женщина не может сдержать слез: огромная соленая капля скатывается по ее щеке.

Столько счастья и столько горя – всего за десять лет! Десять лет, промелькнувшие как падающая звезда. И долгие часы, прошедшие со времени исчезновения Артура. Часы, кажущиеся вечностью.

Блуждающий взор страдающей матери ищет что-нибудь, что могло бы подарить ей хоть каплю надежды. Но вокруг сплошная пустота. Точнее, масса бесполезных предметов. И похрапывающий на диване муж. Усталость сразила его на полуслове, и он заснул, не успев закрыть рта.

При других обстоятельствах его поза могла бы вызвать у нее улыбку. Но сейчас при виде спящего супруга ей еще больше хочется плакать.

В кухню входит бабушка и садится рядом. В руках у нее пачка бумажных носовых платков.

– Вот, последние, – смеется она, желая разрядить обстановку.

Дочь смотрит на мать, и на лице ее появляется слабое подобие улыбки.

В тяжелых обстоятельствах почтенная дама всегда сохраняет чувство юмора. Этому она научилась у своего обожаемого Арчибальда. Чувство юмора и поэтический дар он считал основными человеческими добродетелями.

– Юмор для жизни – то же самое, что храм для верующего... Ничего лучше человек просто не придумал! – шутливым тоном заявлял Арчибальд.

Если бы только Арчибальд был здесь! Он бы непременно рассеял сгустившийся над головами женщин мрак. Вселил бы в них оптимизм, не покидавший его ни при каких обстоятельствах.

Старушка ласково касается руки расстроенной дочери.

– Знаешь, доченька... возможно, то, что я сейчас тебе скажу, не имеет никакого смысла, но все же... твой сын – необыкновенный мальчик. И я уверена, сама не знаю почему... что где бы он сейчас ни находился... даже если он угодил в переплет... я верю: он выкрутится!

Слова бабушки приободрили мать Артура, которая знает, что не одна она молит небо о возвращении сына.

Сейчас им действительно надо молиться вместе, так как именно в эту минуту Артур сидит в темнице. Он грустно смотрит в маленькое окошечко, выходящее на забитую народом биржевую площадь, и понимает, что в этой толпе нет никого, кто рискнул бы прийти к нему на помощь.

– Да не переживай ты! Ты же не дурак и вряд ли надеялся, что минипуты кинутся спасать пришельца из большого мира, пусть даже и явившегося к ним с благими намерениями! – по-своему утешает приятеля Барахлюш, скрючившийся в другом углу темницы.

– Поприддержи язык, Бюш! Помнишь, что говорила Селения: надо вести себя тихо и скромно, – напоминает Артур.

– Тихо? Да все уже знают, что мы в тюрьме, – вздыхает маленький принц. – И не просто в тюрьме, а в застенках самого Ужасного У!

Ох, ну и влипли мы! А главное, никакого выхода! Только Селения может спасти нас... если, конечно, ей удастся выбраться из дворца!

Артур окидывает Барахлюша оценивающим взглядом: он вынужден признать, что мальчик прав. Селения – их единственная надежда.

ГЛАВА 8

Полная решимости выполнить возложенную на нее миссию, маленькая принцесса с мечом в руках движется по лабиринту галерей негостеприимного дворца. Она давно потеряла из виду караван с продуктами и ориентируется только по следам, оставленным на земле деревянными колесами. Селения медленно продвигается вперед, прячась за выступами стен и пережидая, пока мимо пройдет очередной патруль. Осматы кишат во дворце, словно весенние головастики в лягушачьем болоте.

Вскоре выдолбленный в скале коридор становится шире, серый камень сменяется черным мрамором, кое-где даже с рисунком. Пламя факелов отражается в полированной поверхности, и коридор кажется бесконечным. Наверное, сам дьявол спустился в эти глубины и своим огненным хвостом начертал путь по подземному лабиринту.

Стараясь унять тревожно бьющееся сердце, Селения еще крепче сжимает в руках меч. Ладони ее становятся потными и горячими. Подземные ходы – не ее стихия. Она предпочитает бродить по лесам из дремучих трав, летать на кружащихся в воздухе осенних листьях, гулять по цветочным лугам, а потом, выбрав цветок покрасивее, сладко спать в его чашечке.

При воспоминании о родных местах ей становится необычайно грустно. Только когда приходит беда, начинаешь понимать, как дороги все те мелочи, из которых складывается наша повседневная жизнь: неспешное утреннее пробуждение, солнечный луч, который ласкает щеку, верный друг, улыбающийся при встрече с вами...

Несчастья становятся мерилом счастья.

Очередной патруль осматов быстро возвращает Селению из грез на землю. Подождав, пока группа стражей прошествует мимо, она идет дальше по холодному коридору зловещего дворца, гораздо больше похожего на гробницу, нежели на жилище.

Следы от колес исчезли – дальше пол выложен пронзительно черным мрамором, каждый шаг по которому кажется шагом в бездну.

Добравшись до перекрестка, Селения останавливается в нерешительности: куда идти дальше?

Придется положиться на внутренний голос. Но тот, как назло, молчит. Не поможет ли ей знамение? Но какое знамение можно увидеть в этих угольно-черных стенах! Неужели божество, которое покровительствует всем семи континентам, ни капельки ей не поможет? Она никогда ничего у него не просила, все решала сама. Так почему бы ему разочек не помочь ей?

Селения ждет. Знака свыше нет. Да и откуда ему взяться в самой толще серого гранитного камня?

Тяжело вздохнув, Селения разглядывает два расходящихся в разные стороны коридора: в глубине правого брезжит слабый свет, звучит тихая музыка. Любой сразу сказал бы, что это ловушка, и выбрал бы левый коридор. Но Селения настоящая принцесса и мыслит не так, как другие минипуты. И она, крепко сжимая меч, бегом устремляется в правый коридор, откуда доносится музыка.

Разогнавшись на скользком мраморном полу, она, не сумев затормозить, вылетает на середину огромного зала. Пол его выложен сверкающими мраморными плитами, с потолка свешиваются бесчисленные сталактиты. Время превратило их в камень, а неизвестный художник украсил фантастическими узорами. Сталактитов очень много. Наверное, художник, завершив свой труд, умер на месте, не выдержав колоссального напряжения.

Селения испуганно озирается по сторонам и с опаской пробует ногой сверкающий пол, такой гладкий и скользкий, словно он сделан не из мрамора, а из чистейшего льда.

В глубине комнаты стоит маленькая тележка с жареными тараканами: наверное, это те самые, которых доставил сюда караван. Рядом – блюдо с фруктами. В этом царстве серых и черных тонов оно – единственное яркое пятно.

Перед тележкой, спиной к Селении, высится чья-то долговязая фигура. Длинный, махрящийся по краям плащ прикрывает асимметричные плечи. С того места, где стоит Селения, трудно разглядеть, надета ли на существе шапочка или же просто голова его по сравнению с туловищем непропорционально мала. Такая тощая костлявая фигура может принадлежать только монстру, одному из тех чудовищ, которые являются нам в самых жутких кошмарах.

Сомнений нет. Существо, стоящее спиной к Селении и крючковатыми пальцами лениво подносящее ко рту яркие плоды, – это Ужасный У.

Сглотнув слюну и изо всех сил вцепившись в рукоятку меча, Селения собирает в кулак все свое мужество и крадучись направляется к Урдалаку. Наконец-то она отомстит ему! Отомстит за все племена всех семи континентов, испытавших на себе тяжелую руку императора-завоевателя. Она принесла месть на кончике своего меча.

Сейчас она взмахнет им и от Ужасного У останется одно воспоминание.

Вперив взор в своего врага, она медленно идет к нему, стараясь унять стук сердца, отдающийся у нее в ушах гулкими ударами молота. Девочка почти не дышит. Сжимая меч обеими руками, она поднимает его все выше и выше, становится на цыпочки... Сейчас она покарает Страшного и Ужасного У!

Клинок сверкает высоко под потолком... и тут кончик его нечаянно задевает один из свисающих с потолка сталактитов. Прикосновение стали к камню рождает резкий отрывистый звук. В другом месте и в другой обстановке на него никто бы не обратил внимания, но здесь, в царстве мрачной ледяной тишины, в стенах, привыкших к унылому завыванию ветра, звук этот подобен раскату грома.

Фигура замирает, скрюченные пальцы впиваются в яблоко. Селения тоже замирает. Сейчас она похожа на одну из сталактитовых скульптур, свисающих с потолка.

Монстр не спеша откладывает яблоко и испускает долгий и усталый вздох. Он по-прежнему стоит спиной к Селении, только горестно склонил голову, словно поступок принцессы удручает его. Хотя, похоже, появление ее не является для него неожиданностью.

– Я целыми днями полировал этот клинок, желая довести его до совершенства. И узнал бы его звон среди звона тысячи мечей.

Монстр говорит глухо, слова, произносимые им, доносятся словно из могилы. У него не все в порядке с голосовыми связками: воздух проходит через них со свистом, словно в горле у него стоит терка для пармезана, перетирающая поступающий туда воздух в мелкую крошку.

«Я бы на его месте прочистила выхлопные трубы», – не может не съязвить про себя

Селения, прекрасно понимая, что в советах ее здесь не нуждаются.

– Так, значит, это ты, Селения, извлекла мой меч из камня? – спрашивает У, медленно поворачиваясь к принцессе. – Или тебе пришлось уступить эту честь другому?

На Ужасного У нельзя смотреть без содрогания.

Урдалак по праву может именоваться ходячим ужасом. Лицо его, перекошенное, испещренное загадочными пятнами, изборожденное временем, напоминает пейзаж после битвы. Часть ран уже зажила и покрылась струпьями, часть еще сочится сукровицей. Незаживающие раны постоянно причиняют ему боль, отчего взгляд его сделался измученным и скорбным. Такой взгляд бывает у людей, изрядно потрепанных жизнью. Все готовы увидеть в его глазах огонь ненависти. И жестоко ошибаются.

Глаза его полны печали, как у умирающего зверя, исполнены страдания падших владык и смирения выживших после страшной катастрофы.

Селения не собирается смотреть в глаза Урдалаку, ей хорошо известно, что глаза – самое грозное его оружие. Немало минипутов, попав под обаяние его печального взора, закончили свою жизнь на сковородке, поджаренные, словно миндальные орехи.

Приготовившись отразить любой коварный удар, Селения выставляет вперед меч. Она внимательно следит за Урдалаком, за его уродливой, ни на что не похожей фигурой.

Наполовину минипут, наполовину насекомое, он, кажется, вот-вот распадется на части. Несколько грубых сочленений удерживают все части вместе, а длинный, махрящийся плащ скрадывает уродство конструкции.

Челюсти У слегка приоткрываются. Наверное, это улыбка, хотя она его и не украшает.

– Я рад вашему приходу, принцесса, – говорит он, стараясь придать своему голосу приятное звучание. – Мне вас очень не хватало, – добавляет он... возможно, даже искренне.

Селения выпрямляется, вздергивает носик и вновь становится задорной бесшабашной девчонкой.

– О себе я этого сказать не могу! – отвечает она. – Потому что я пришла убить вас!

Ни один из героев Клинта Иствуда не сказал бы лучше! Принцесса смотрит прямо в глаза Урдалака. Позабыв о впечатляющем росте и прочих грозных талантах своего противника, она готова принять его вызов: Давид против Голиафа, Маугли против Шер-хана.

– Откуда в вас столько ненависти? – удивляется Урдалак; идея поединка с бесстрашной малявкой его забавляет.

– Ты предал свой народ, истребил множество племен, а тех, кого оставил в живых, обратил в рабство! Ты чудовище!

– Не смей называть меня чудовищем! – взрывается Урдалак, его лицо внезапно меняет цвет и становится зеленым. – Не говори того, чего не знаешь! – добавляет он уже более спокойно. – Если бы ты знала, что значит жить в собранном по частям теле, ты бы так не говорила.

– Когда ты предал свой народ, тело твое было в прекрасном состоянии! Это боги покарали тебя! – гневно отвечает принцесса: она не намерена сдавать свои позиции.

Урдалак издает клокочущий громоподобный смешок, словно пушка выплюнула свое ядро.

– Бедное дитя... если бы все было так просто, как ты говоришь... если бы я мог навсегда забыть об этом... – вздыхает Урдалак. – Ты была еще ребенком, когда я покинул город. Тогда меня еще звали Урдалак Добрый, Урдалак-Воин, Тот-Кто-Всегда-Готов-Встать-На-Защиту-Слабого! – со слезами в голосе добавляет он.

Это правда. В те времена Урдалак был прекрасным принцем, отважным и веселым. Но он был на три головы выше своих товарищей, и те постоянно над ним смеялись.

– Его родители давали ему слишком много гамульего молока! – добродушно усмехались жители города.

Пересуды соплеменников вызывали у Урдалака благодушную улыбку. Сам он отшучиваться не умел, но на чужие шутки не обижался, так как прекрасно знал, что никто не хочет его обидеть. Тем более что гораздо чаще минипуты восхищались его силой и отвагой.

Вскоре погибли его родители: они были растерзаны кузнечиками во время большой войны с этими хищными насекомыми. После этой войны Урдалак помрачнел, и никто больше не отваживался подшучивать над ним, даже добродушно.

Урдалак стал взрослым, но боль утраты не утихла. Верный принципам, внушенным ему родителями, он был храбр и всегда приходил на помощь. Щедро наделенный чувством чести, он всегда защищал своих соплеменников.

Жители столицы заменили ему семью.

Наступила великая засуха, растянувшаяся на целых тысячу лет. Жители города были вынуждены послать экспедицию на поиски воды. Хотя минипуты и не любят мыться, совсем обходиться без воды они не могут: надо пить и поливать растения. Следовательно, от воды зависело выживание их народа.

Осознавая всю важность поставленной задачи, Урдалак попросил разрешения возглавить экспедицию. Император Свистокрыл де Стрелобарб, бывший в то время еще совсем молодым, с удовольствием доверил ему командование. Он питал теплые чувства к Урдалаку и своего сына, которому в то время было всего несколько недель, хотел воспитать таким же честным и сильным, как он. А пока сын его не подрос, все надежды император возлагал на Урдалака. Узнав об этом, дочь императора Селения стала требовать, чтобы ее, несмотря на юный возраст, назначили на должность главы экспедиции. С пеной у рта она доказывала всем, что только настоящей принцессе под силу справиться с заданием, которое поручили Урдалаку. Императору с превеликим трудом удалось успокоить свою не в меру буйную дочь. Для этого ему пришлось торжественно пообещать, что настанет время и она тоже отправится на поиски приключений.

Солнечным утром Урдалак во главе отряда минипутов отбыл на поиски воды. Он шел по главной улице, гордый оказанным ему доверием, и провожавшие награждали его бурными аплодисментами. Несколько минипуточек даже пустили слезу. Словом, Урдалаку была прямая дорога в национальные герои.

Экспедиция оказалась крайне трудной и опасной. Засуха охватила все континенты. Те, кто выживал в условиях страшной жары, собирались в банды и грабили тех, кто послабее. Урдалак и его спутники выдержали немало налетов разбойников, нападавших как днем, так и ночью, как из-под земли, так и с воздуха.

Обоз таял на глазах. Спустя месяц после выхода экспедиции из города у Урдалака остались половина доверенных ему повозок и треть минипутов.

Чем дальше маленький отряд углублялся в неведомые земли, тем больше враждебных племен встречал он на своем пути, тем больше свирепых хищников, о существовании которых минипуты прежде не подозревали, угрожали их жизням. По лесам бродили одичавшие минипуты и отбирали у всех воду.

Ручьи и источники безнадежно пересохли. Приходилось идти все дальше и дальше.

Отряд, сократившийся почти втрое, миновал лес с хищными деревьями, прошел по высохшим озерам, пересек болота, ядовитые испарения которых порождали у минипутов галлюцинации, обогнул пустынные, непригодные для жизни равнины, зараженные неведомыми болезнями.

Урдалак выдержал все схватки, не моргнув глазом перенес все испытания. И наконец в недрах высокой неприступной горы отыскал тоненький журчащий ручеек с пресной водой. Цель экспедиции была достигнута, труды ее предводителя были вознаграждены.

К несчастью, к этому времени в его распоряжении осталась всего одна повозка и четыре минипута для ее охраны. Урдалак и его люди наполнили доверху бочку, поставили ее на повозку и пустились в обратный путь.

Их бесценный груз пробуждал алчность во всех, кто встречался им на пути. Обратная дорога превратилась в сплошной кошмар. С принципами, правилами, честью, кодексом воина было покончено. Урдалак защищал свой груз, как голодный пес защищает кость. В этих схватках Урдалак превратился в настоящее чудовище: вместо того чтобы совершенствоваться в искусстве обороны, он стал упражняться в искусстве нападения.

Он вернулся на восходе солнца. Минипуты встретили его восторженно, как обычно встречают тех, кто первым ступил на Луну или спас мир, придумав новую вакцину, – то есть как настоящего героя.

Восторженные жители подняли Урдалака на руки и пронесли его по городским улицам.

Когда же наконец Урдалак прибыл к императору, он успел только сказать, что выполнил порученное ему задание. Потом усталость одолела его, он упал и заснул.

Не спуская глаз с Урдалака, Селения с интересом слушает его историю. Ей очень интересно, но она в этом ни за что не признается. Наоборот, она изо всех сил делает вид, что рассказ ее утомляет. И ей это удается, ведь она принцесса, а принцессам положено уметь скрывать свои чувства. К тому же она ни на секунду не забывает, насколько могуществен ее противник. Она уверена, что Ужасный У умеет обращать слова в оружие.

– Через несколько месяцев болезни и чары, воздействие которых мне довелось испытать во время экспедиции, начали изменять мое тело, – проникновенным тоном продолжает Урдалак. – Постепенно страх перед моими болезнями охватил город. Все боялись заразиться. При моем приближении минипуты мгновенно разбегались. Со мной вообще перестали разговаривать. Или старались отделаться краткими репликами. Мне по-прежнему вежливо улыбались, однако улыбки были вымученными. Чем более уродливым становилось мое тело, тем больше минипутов сторонилось меня. В конце концов я остался один, в собственном доме, отрезанный от всего мира, один на один со своей болью, которую никто не захотел со мной разделить. Я, Урдалак, герой и спаситель целого народа, за несколько месяцев превратился в Урдалака Уродливого. А вскоре настал тот день, когда минипуты больше не захотели произносить мое имя и стали именовать меня всего одной буквой У... Ужасный У!

И падший принц погружается в горестные воспоминания.

Всего на несколько секунд в сердце Селении пробуждается сострадание. Она не умеет смеяться над чужим горем, но сейчас ей необходимо установить истину, а не прислушиваться к собственным чувствам.

– Рассказ, изложенный в учебнике Истории, несколько отличается от вашего рассказа! – осмеливается вставить она.

Урдалак выпрямляется и внимательно смотрит на нее: слова принцессы заинтересовали его. Он не знал, что его печальная судьба уже занесена в великую книгу Истории.

– И... что же гласит официальная версия? – с нескрываемым любопытством спрашивает он.

Стараясь говорить как можно суше, принцесса излагает параграф из учебника, старательно выученный ею в школе. Ее преподавателем был крот Миро. Проживший пятнадцать тысяч лет, он не имел равных среди учителей великой Истории. Селения обожала его уроки. Миро увлеченно рассказывал о жестоких битвах и проливал слезы умиления, говоря о мирной жизни. А когда наставала очередь рассказов о героях, он не отказывал себе в удовольствии вспрыгнуть на стол и на глазах у восхищенных учеников продемонстрировать знаменитые приемы кротиного единоборства. К концу урока он основательно выматывался и после звонка мчался домой, где устраивал себе продолжительную сиесту. Историю Урдалака он знал наизусть, и, пожалуй, это была единственная история, которую он излагал спокойно и с нескрываемым уважением к ее главному действующему лицу.

Официальная версия гласила, что Урдалак торжественно отбыл в экспедицию, получив благословение самого короля. Поход, растянувшийся на многие месяцы, был нелегким.

Урдалак, изучавший военное искусство наравне с кодексом чести, всегда уважал своего противника. Но очень скоро он был вынужден пересмотреть свои взгляды, забыть, чему его учили.

Из-за засухи мир за стенами города минипутов стал настоящим адом. Чтобы выжить в нем, надо было превратиться в дьявола. Бродячие торговцы рассказывали об ужасных деяниях Урдалака, случайные путешественники подтверждали их слова, добавляли подробности. Минипуты узнали о моральном падении своего героя. Устав от постоянных налетов грабителей и одичавших минипутов, Урдалак перестал защищаться и стал нападать первым. Сражаясь за благородное дело выживания своего народа, он, чтобы поскорей достичь цели, стал грабить и убивать, как простой разбойник.

Когда эти печальные известия дошли до столицы, минипутов охватила глубокая скорбь: они не привыкли, чтобы ради них одни существа уничтожали других.

Собрали Большой совет. Обсуждение вопроса длилось десять лун. Советники вышли из зала совета совершенно измученные, зато с текстом Уложения, названного «Книга Великих Мыслей».

Этот документ лег в основу задуманной императором переделки общества. Новое общество строилось на законах справедливости, на уважении к минипутам и к созданным трудами их рук ценностям.

За несколько недель столица преобразилась. Теперь ничто не могло быть сломано или выдрано просто так, без тщательной оценки последствий такого поступка. Мусор перестали выбрасывать. Его собирали в кучи и устраивали собрания, на которых обсуждали, как его лучше использовать. Поступать так велела третья заповедь Уложения. В голове минипутов прочно сидела мудрость, несколько лет назад изреченная Арчибальдом Благодетелем:

«Ничто бесследно не исчезает, ничто из ничего не создается, все превращается во все».

Арчибальд честно признавался, что фраза эта ему не принадлежит, но какая, в сущности, разница?

Вторая заповедь была извлечена из книги, о которой Арчибальд часто упоминал, но название которой никто не смог вспомнить. Заповедь гласила: «Люби и почитай ближнего своего, как самого себя». Эта заповедь пришлась всем по душе, и все старательно соблюдали ее. Минипуты стали чаще улыбаться, радостно здоровались при встречах и часто приглашали друг друга в гости, хотя из-за засухи трапезы становились все скуднее.

Первая заповедь была самой важной. Происхождением своим она была обязана несчастным приключениям Урдалака: «Ничто не может оправдать убийство невиновного».

Совет принял эту формулировку без всяких возражений и единогласно решил считать ее Первой заповедью. Всего заповедей было больше трех тысяч – по одной на каждый селенель, и каждый минипут – если он хотел быть достойным высокого звания минипута – обязан был им следовать.

За время экспедиции изменился не только Урдалак. Изменилось общество минипутов. Поэтому, когда Урдалак прибыл в город с бочкой воды, прием ему был оказан достаточно прохладный. И все из-за того, что повозку с водой тянули двенадцать минипутов. Урдалак обратил их в рабство во время своего похода.

Император поблагодарил Урдалака за драгоценную воду, но устроить Урдалаку торжественную встречу, на которую тот не только рассчитывал, но и имел право, не пожелал.

Минипуты освободили захваченных Урдалаком рабов, накормили их и отпустили, дав с собой еды на несколько дней.

Урдалак был единственным минипутом, вернувшимся живым из трудной экспедиции. Единственным, кто мог рассказать, как погибли остальные участники похода. Поэтому многие сомневались в правдивости его рассказов. Урдалак старался не обращать внимания на оскорбительные намеки и с удовольствием рассказывал о своих подвигах. С каждым новым рассказом его похождения становились все более невероятными.

Минипуты вежливо слушали его, так как восьмая заповедь гласила, что каждый минипут имеет право на свободу слова, а заповедь номер пятьсот сорок семь уточняла, что невежливо прерывать говорящего.

Очень скоро подвиги славного Урдалака перестали интересовать минипутов. Он мог бы вновь и вновь переживать их со своими соратниками, но – увы! – все его соратники погибли при одному ему известных обстоятельствах.

Урдалак оказался в одиночестве. Один на один с самим собой. Один на один со своим прошлым.

Миро посоветовал ему прочитать «Книгу Великих Мыслей», но Урдалак не захотел. Как могли они написать такую книгу, ни разу его не выслушав? Он вдоль и поперек пересек все семь континентов, сражался с грозными племенами, боролся с ужасными чудовищами, победил невиданных зверей, кровожадных хищников, а его опыт и знания оказались никому не нужными. И Урдалак затаил обиду на своих соплеменников.

Когда он сказал об этом Миро, тот ответил:

– Твои знания и опыт годятся для учебника войны, а мы хотели написать руководство по достойному поведению в мирной жизни!

Ответ его окончательно озлобил Урдалака. Он покинул город и стал слоняться по окрестностям, рассказывая всем и каждому о своих подвигах.

С каждым днем он все больше пил и дебоширил, заводил сомнительные знакомства, главным образом с насекомыми, многие из которых были ядовиты. И вот однажды заморская стрекомушка...

– Замолчи! – внезапно орет Урдалак.

Ему неприятно слушать.

Селения снисходительно улыбается. Судя по испарине, выступившей на лбу Урдалака, официальная версия гораздо ближе к правде, чем его собственная.

– Я больше никогда не общался ни со стрекозами, ни с мухами! – уверяет он, словно перед ним сидит не юная принцесса, а прокурор.

– Она поцеловала тебя и вместе с поцелуем впрыснула свой яд, – невозмутимо заканчивает принцесса.

– Хватит! – грохнув кулаком по тележке, кричит Урдалак.

Он забыл, что ему вредно сердиться: как только он приходит в ярость, шрамы на его лице раскрываются и из них вырываются миазмы гнева, которые его искореженный организм непременно должен выпустить наружу. Иначе он взорвется, как паровой котел, откуда вовремя не выпустили пар.

Селения не знает об этом свойстве Ужасного У, но, готовая к любым неожиданностям, бесстрашно взирает на его окутанное облаком лицо.

Беседа двух врагов затягивается.

Дымящийся монстр чувствует, что еще немного, и Селения выйдет победителем из их словесного поединка. Пора пустить в ход более грозное оружие, но он делает еще одну попытку оправдаться:

– В тот вечер я был смертельно пьян! – восклицает он.

– Когда не умеешь пить – не пей! – отрезает принцесса.

– Увы, у меня не было такого мудрого советчика, как Ваше Высочество! – насмешливо отвечает У. – Но зато как прекрасен был тот поцелуй!..

– Разумеется, прекрасен, ведь его было достаточно, чтобы на всю оставшуюся жизнь сделать тебя чудовищем, – все тем же бесстрастным тоном парирует Селения.

Мрачные воспоминания вновь охватывают Урдалака.

– Утром следующего дня я почувствовал, как тело мое начинает разлагаться заживо. Мне пришлось отправиться на поиски целителя, способного остановить быстро развивающийся недуг. Я превратился в подопытного кролика: на мне испытывали всевозможные снадобья, меня пичкали всякой гадостью, намазывали отвратительными мазями. Даже кормили червями, выдрессированными специально для отсасывания яда. Но черви умирали раньше, чем достигали моего желудка. На пятом континенте я отыскал прорицателя, вытянувшего из меня немало денег за свои амулеты. Я обошел всех знахарей на всех семи континентах, но никто не сумел меня исцелить. Вот так единственный поцелуй искалечил всю мою жизнь... – печально вздыхает Урдалак.

– В следующий раз думай, с кем целуешься, – не упускает возможности съязвить Селения.

Урдалак не оценил ее шутки.

– Ты права, Селения, – мрачно заявляет он, вновь поворачиваясь лицом к девочке. – В следующий раз я выберу самую красивую девушку... девушку, похожую на прекрасный цветок... цветок, за ростом которого я давно наблюдаю... и который всегда мечтал сорвать!

Челюсти Урдалака с хрустом смыкаются, подобие губ растягивается в зловещей улыбке. Селении становится не по себе.

– Исцеляющее дерево не только помогло мне справиться с болезнью. Оно раскрыло мне страшную тайну, – с шипением продолжает Урдалак.

– Деревья никогда не дают плохих советов, – стараясь унять дрожь в голосе, соглашается Селения. От зловещего тона Урдалака у нее по всему телу забегали мурашки, она в испуге пятится к выходу. И правильно делает, потому что Урдалак начинает двигаться к ней.

– Власть, которой наделен чистый и свободный королевский цветок, может избавить меня от злых чар, жертвой которых я стал, может вернуть мне прежний облик минипута. Единственный поцелуй этого цветка – и я спасен!

Крадущейся походкой Урдалак приближается к Селении. Он явно испытывает свою жертву на прочность.

– Ты прав. Поцелуй принцессы действительно обладает чудесной силой – но только тогда, когда это ее первый поцелуй! – гордо отвечает Селения, прекрасно понимая, на что намекает Урдалак.

– Я знаю! Но, если мои сведения верны, ты до сих пор не замужем, – шипит он, уверенный, что принцесса попалась в расставленную им ловушку.

– Твои сведения устарели, – насмешливо отвечает она.

Урдалак замирает. Если это правда, значит, его надеждам не суждено сбыться и он навеки останется уродом.

Откуда-то из глубин дворца раздается громыхание сапог, и в зал вваливается Мракос.

Видимо, дело его не терпит отлагательств, раз он дерзнул нарушить этикет, согласно которому он обязан заранее предупреждать правителя о своем визите, а потом смиренно ждать вызова.

Чувствуя, что сын намерен сообщить ему нечто важное, Урдалак легким кивком головы разрешает ему приблизиться.

Мракос осторожно подходит к отцу (никто, даже он, никогда не знает, чего ожидать от Ужасного У) и что-то шепчет ему на ухо.

Пока Урдалак слушает сына, глаза его увеличиваются почти вдвое:

– Принцесса вышла замуж, никого не предупредив и даже не сделав официального сообщения, как положено по протоколу.

Урдалак в шоке. Его надежда вернуть себе прежний облик рассыпалась как карточный домик – и все из-за этой взбалмошной девчонки, возомнившей себя взрослой и подарившей свой бесценный поцелуй какому-то авантюристу!

Сцепив восьмипалые руки, он лихорадочно соображает, как теперь поступить. Что ж, еще один удар судьбы! Надо признать, по количеству ударов, нанесенных ему судьбой, Ужасного У вполне можно сравнить с креслом из шведского супермаркета «ИКЕА», которое специальный ударный механизм с грузом испытывает на прочность.

Урдалаку ничего не остается, как признать свое поражение.

– Отличный ход! – тяжко вздыхая, обращается он к принцессе, приготовившейся к самому худшему. – А ты гораздо умнее, чем я думал, – продолжает Урдалак. – Зная, сколь могущественны мои чары, ты не стала рисковать и отдала свое сердце первому встречному.

– Ну, если быть точной, то последнему. По времени, разумеется, – опять не удержавшись, насмешливо отвечает она. – Он недавно прибыл в наш мир.

Урдалак поворачивается к принцессе спиной и отходит к блюду с фруктами.

– Ты сделала этому мальчишке поистине царский подарок. И он вряд ли сумеет оценить его. Более того, он не сможет им воспользоваться. В твоей власти было спасти мне жизнь, ты это знала, но не сделала. Следовательно, не жди от меня пощады, – произносит он, обхватывая восьмипалой рукоклешней огромную ягоду смородины. – А чтобы ты поняла, как мучителен мой недуг и как тяжела моя жизнь, облегчить которую ты не пожелала, тебе, прежде чем умереть, придется немного помучиться... О, не беспокойся, никаких физических страданий. Мучения эти исключительно моральные, – завершает он с неприкрытым садистским удовольствием.

Селения, конечно, готова к самому худшему, но мрачная фантазия Урдалака поистине не имеет границ.

– Прежде, чем ты умрешь, ты увидишь, как твое племя исчезнет с лица земли. Я его оттуда смою, – зловещим тоном, не оставляющим сомнений в его решимости, заявляет Урдалак.

Слова зачастую производят большее впечатление, чем поступки. Селении кажется, что ее бросили в ледяную реку и волны несут ее прямо в Ледовитый океан, где она тотчас утонет, потому что минипуты не умеют плавать.

А Урдалак уже переключил внимание на смородину. Кажется, эта ягода сейчас интересует его больше всего на свете. Похоже, он решает вопрос: съесть или не съесть?

Лихорадочно вспоминая все, чем можно растопить лед – солнышко, кипящий чайник, горячий утюг, – Селения выбирается из ледяного плена. От возмущения горячая кровь в ее жилах начинает струиться в два раза быстрее, приливает к щекам, заставляет сильнее биться сердце.

Гнев и ненависть соединились в один большой костер. Ее ничто не остановит. Схватив меч, она резко вскидывает руку и, словно копье, бросает свое оружие в грудь Урдалаку. Жажда мести придает ей силы. Клинок молнией рассекает воздух и попадает в цель. К несчастью, там, куда метилась принцесса, у ужасного владыки тела нет. Вместо него зияет дыра. Меч пролетает сквозь дыру и пригвождает к блюду огромную сочную ягоду. Урдалак смотрит то на меч, то на принцессу и молчит.

Впервые его изуродованное тело сослужило ему службу. Поистине замыслы судьбы неисповедимы, и все, что она дарует тебе, надо безропотно принимать. Только что он проклинал свое искореженное тело, а теперь благословляет свое уродство!

Задумчиво взирая на вытекающий из пронзенной мечом ягоды сок, он подставляет палец и, когда на него падает большая капля, плотоядно слизывает ее.

– Вот так, как я слизал эту каплю сока, волна смоет минипутов с лица земли, – дьявольским тоном произносит он.

Потерпев неудачу, Селения в растерянности стоит и ждет, не случится ли чуда и не вернется ли к ней могучий меч. Но чуда не происходит, в сердце принцессы вновь закипает гнев, и она с кулаками набрасывается на Урдалака.

К несчастью, время упущено. Гигантская фигура Мракоса преграждает ей путь. Раздается вой сирены, и со всех сторон к Селении устремляются осматы, хватают ее, и через пару секунд она уже не может пошевелить ни рукой, ни ногой.

Вырваться из клешней осматов невозможно: несмотря на нитевидные лапы, у них стальные мускулы. К тому же осматов очень много – целая туча.

От ярости и унижения принцесса чуть не плачет.

Вытащив меч из пронзенной ягоды, Урдалак поворачивается к Селении и окидывает ее снисходительным взором.

Появление этой дерзкой девчонки с ее игрушечным мечом изрядно развлекло его.

– Не жалей ни о чем, Селения, – ободряющим тоном говорит он ей. – Даже если бы ты вышла за меня замуж, уверяю тебя... я бы все равно уничтожил твой народ!

Нервы Селении не выдерживают, и она заливается слезами.

– Ты настоящее чудовище, Урдалак!

Насекомоподобное существо не может отказать себе в удовольствии улыбнуться. Он столько раз слышал эти слова!

– Да, именно чудовище, я это знаю! Увы, таким меня сделали неразборчивые знакомства, – сокрушенно отвечает он. Юмор Урдалака такой же черный, как и его взгляд.

– Уведите ее! – приказывает Ужасный У, отшвыривая от себя ягоду.

ГЛАВА 9

Артур стоит возле тюремной решетки и изо всех сил ее расшатывает. Устав, он прекращает свое занятие и переводит дыхание.

– Только что был женихом, а теперь, пожалуйста, – уже вдовец, – бурчит он себе под нос. – А вдобавок еще и пленник! Нет, я так не играю.

Он не намерен мириться с таким положением. Гнев придает ему силы, и он возобновляет прерванное занятие: трясет решетку в надежде расшатать ее. Но, увы! Ни один прутик даже не шелохнулся. Решетки в тюрьме делаются с таким расчетом, чтобы заключенные не смогли ни вынуть их, ни выломать.

– Послушай, Барахлюш, нам надо выбраться отсюда! Ну придумай что-нибудь! – тормошит он друга, прекрасно понимая, что надежды на изобретательность юного принца практически никакой.

– Да думаю я, Артур, думаю! – отмахивается от него Барахлюш. Он удобно устроился на тюфячке из травы и, похоже, больше хочет спать, чем искать выход из положения.

– Как ты можешь спать, когда нам всем грозит опасность? Нет, хуже: неизвестность! – возмущается Артур.

– А я и не сплю, – бурчит принц, но слова его звучат не слишком убедительно. – Я просто собрал всю свою энергию, всю силу, которая мне нужна, чтобы ходить, есть, говорить, и теперь я эту силу концентрирую-ю-у...у...

– Заснул! – констатирует Артур.

– Да, вот, знаешь...– бормотание Барахлюша стихает: мальчик окончательно погрузился в сон.

Артур вспоминает, как принц жаловался, что сестра будит его пинками, и безжалостно пинает приятеля пониже спины. Действие пинка подобно холодному душу: Барахлюш вскакивает как ошпаренный.

– Послушай, – возбужденно говорит Артур, хватая его за воротник и притягивая к себе, – ты говорил, что принцесса подарила мне какую-то силу!

– Да, силу, заключенную в поцелуе, – подтверждает Барахлюш.

– А как действует эта сила?

– Действует?.. Откуда я знаю! – пожимает плечами принц.

– Как это не знаешь?

– А вот так, не знаю! Это же ее сила! Только она знает, какую силу она тебе передала.

Артур в отчаянии.

– Ну вот, опять влип! Подарила мне силу и даже не сказала какую! А вдруг мне эта сила понадобится? Так подарки не делают! – возмущается Артур; его настроение стремительно портится.

– Понимаешь, у нас все не совсем так, как у вас, – растолковывает ему Барахлюш. – Когда ты женишься, предполагается, что ты давно знаком с той, на ком женишься. Поэтому тебе не надо специально объяснять, какую силу передает тебе твоя невеста. Ты и так все знаешь.

– Но я знаю принцессу всего два дня! – кричит Артур, окончательно выведенный из себя.

– Ну и что? Ты же все равно на ней женился! – многозначительно произносит мальчуган, намекая, что, прежде чем жениться, не вредно подумать, стоит ли это делать.

– Но ты же видел: она приставила мне к горлу меч! – обороняется Артур.

– Ага, так, значит, если бы она не приставила тебе к горлу меч, ты бы на ней не женился?

– Да нет, все равно бы женился! – Нервы Артура уже на пределе.

– И правильно бы сделал! – назидательно произносит Барахлюш. – Ах, как все было красиво! – вздыхает он.

Логика Барахлюша – загадка для Артура.

Артуру кажется, что сам он, подобно герою древнего романа, сражается с ветряными мельницами и скоро у него совсем не останется сил на этот бесполезный бой.

– Согласен, моя свадьба была прекрасна! Но, если ты не поможешь мне выйти отсюда, тебе скоро устроят роскошные похороны! – кричит он, позабыв об осторожности.

– Не так громко! Ты меня оглушил! – зажимает уши Барахлюш.

– Сейчас я тебя не только оглушу, я тебя придушу! – зловеще шипит Артур Барахлюшу в самое ухо и хватает его за шею.

– Прекратите ссориться! – раздается голос из угла темницы.

Голос ласковый, однако явно не молодой, хотя, возможно, это несчастья изменили его.

– Нет надобности душить мальчугана, равно как и терзать решетку. Никто никогда не выходил из застенков Некрополиса, – добавляет незнакомец.

Артур вглядывается в темноту, пытаясь понять, откуда идет этот усталый голос.

Наконец в углу он различает сутулую фигуру, умостившуюся на тюфяке. «Бедняга, – думает Артур, – наверное, он сошел с ума. Если сидеть здесь и ничего не делать, живо слетишь с катушек». Поэтому, несмотря на слова загадочного незнакомца, он вновь тормошит решетку.

– Не трудитесь зря! Поберегите силы, особенно если вы уже проголодались! – вновь раздается старческий голос.

Вынужденный согласиться, что труды его действительно ни к чему не приводят, Артур направляется к незнакомцу. Он хочет рассмотреть товарища по несчастью.

– А почему вы заговорили о еде? Какая, по-вашему, связь между едой и экономией сил? Ведь есть так легко, это каждый умеет! – говорит Артур, желая завязать беседу.

– Когда ты захочешь есть, – объясняет незнакомец со своего места, – тебе придется их чему-нибудь научить. Иначе еды не получишь. И смошенничать тоже не удастся! Я пытался впарить им старые изобретения годовой давности, но они просекли! У этих наглецов отличная память. Пожалуй, это их единственное достоинство. Да, такие тут правила. С одной стороны, они наполняют тебе брюхо, а с другой – опустошают твой мозг. Единственным богатством здесь являются знания, а единственной роскошью – сон, – заключает он, устраиваясь поудобнее – видимо, чтобы получить доступ к роскоши.

Слова его заинтриговали мальчика, и он озадаченно чешет в затылке. Он уверен, что уже где-то слышал этот голос. Как жаль, что здесь так темно и он не может разглядеть незнакомца.

– А какие знания им нужны? – спрашивает Артур.

– Пфф! Всякие, они не слишком разборчивы! – откликается невидимый собеседник. – Можно объяснять законы физики и математические формулы, а можно продиктовать рецепт приготовления яичницы. Вывести теорему заваривания мятного чая, – шутит он.

Шутка удивляет Артура больше всего. Он знает только одного человека, способного шутить при любых обстоятельствах. И хотя человек этот давно исчез и след его затерялся, он все равно очень дорог Артуру.

– Я научил их читать, писать и рисовать...

– Рисовать, – дрожащим голосом повторяет Артур, не смея поверить в то, что он, кажется, узнал этого человека!

Загадочный незнакомец – это его дедушка Арчибальд, пропавший четыре года назад! Когда он исчез, Артур был совсем маленьким, поэтому он толком не помнит, как выглядел его дедушка. Артур помнит только дедушкин голос. И он его узнал!

Превратившись в минипута, то есть став ростом не выше двух миллиметров, дедушка наверняка сильно изменился. Но голос у него остался прежним, и Артур с уверенностью может сказать: незнакомец в углу – его дедушка Арчибальд!

Последние слова Артур выкрикивает, и они долетают до темного угла, где сидит их товарищ по несчастью.

– Что ты там говоришь, мой мальчик? – вежливо переспрашивает таинственный узник.

– Вы научили их писать и рисовать... Рисовать гигантские полотна, чтобы прятаться от врагов... Научили передавать на расстояние воду, управлять изображением при помощи системы зеркал...

– Откуда этот постреленок все знает? – удивляется незнакомец.

Он встает и идет к мальчику, чтобы разглядеть его.

Артур делает шаг вперед и видит перед собой заросшее бородой старческое лицо. Мигающие глазки. Крошечные морщинки в углах рта – наверное, оттого, что старичок много улыбался. Сомнений нет: этот старичок в помятом костюме не кто иной, как Арчибальд, его дедушка.

– Потому что он внук этого изобретателя, – с чувством произносит Артур, отвечая на вопрос старичка.

Тот застывает в недоумении. Несколько мгновений он стоит, быстро-быстро мигая глазками и сдерживая рвущуюся на волю радость.

– Артур? – наконец спрашивает он.

Широко улыбаясь, Артур кивает.

Арчибальд глазам своим не верит. Неожиданно жизнь преподнесла ему самый лучший, самый желанный подарок. И он бросается в объятия Артура.

– О, мой милый внук! Мой дорогой Артур! Как я рад тебя видеть! – прерывистым от волнения голосом восклицает он.

Дед и внук так крепко обнимают друг друга, что едва могут дышать.

– Я все время молил Бога, чтобы он дал мне возможность хотя бы еще разочек увидеть тебя, обнять тебя, расцеловать! И вот молитвы мои услышаны! Спасибо, Господи!

Слезы текут по морщинистым щекам и исчезают в густой бороде. Наконец дед выпускает Артура из объятий и отходит назад, чтобы получше рассмотреть внука.

– Дай мне на тебя полюбоваться! – говорит он. Сумрак, царящий в темнице, его явно не смущает.

Арчибальд с гордостью оглядывает внука.

– Как же ты вырос! Просто невероятно!

– А мне, наоборот, кажется, что я здорово уменьшился...

– Ох, ты совершенно прав! – спохватывается Арчибальд, и оба весело смеются.

Все еще не веря своему счастью, дед ощупывает внука со всех сторон, желая удостовериться, что тот ему не привиделся: всем известно, что Урдалак умеет создавать призраки и вводить людей в заблуждение, показывая им живые картины, которые на самом деле всего лишь галлюцинации. Но сейчас никто его не разыгрывает. Вот он, его внук, из плоти и крови. Вот его рука, которую можно пожать. О, теперь в этой ручонке чувствуется сила, которой не было, когда они расстались. Впрочем, тогда Артур был совсем маленьким.

Сейчас же перед ним стоит хорошенький мальчик, повзрослевший за время приключений, выпавших на его долю, и очень сильный для своего возраста. Арчибальд в восторге: он не ожидал увидеть внука таким красивым и сильным.

– Как ты сумел попасть к минипутам? – спрашивает дед.

– Я разгадал твою загадку! – отвечает внук.

– Загадку?! А, теперь вспоминаю! Я совсем забыл о ней...

– Матассалаи получили твое послание, приехали и помогли мне попасть к минипутам, – продолжает Артур.

– Они прибыли из Африки, чтобы освободить меня? – спрашивает Арчибальд.

– Да... думаю, да. Мне кажется, они тебя очень любят. Но в последнюю минуту они поручили мне освободить тебя.

– И правильно сделали! – Арчибальд в восторге треплет внука по щеке. – Ах, как же это здорово! Ты настоящий герой! И я горжусь тобой!

Арчибальд обнимает Артура за плечи и торжественно подводит к своему тюфяку, словно это не кучка соломы, а королевский трон.

– Давай рассказывай все по порядку. Что нового наверху? Мне интересно все! – торжественно произносит он, жестом предлагая внуку сесть.

Артур в замешательстве: он не знает, с чего начать. Со времени исчезновения дедушки прошло немало лет, случилось множество событий... И он решает начать с конца.

– Ну, понимаешь... я женился.

– Вот как? – удивляется Арчибальд, не ожидавший услышать подобной новости. – Но постой... сколько тебе сейчас лет?

– Лет... почти целая тысяча! – отвечает Артур, чтобы деду было понятнее.

– Да, правда! Совершенно верно! – соглашается Арчибальд, заговорщически подмигивая внуку.

Дед вспоминает, что внук его всегда хотел быть взрослым и уже в четыре года требовал себе настоящий швейцарский нож, чтобы самому резать мясо.

Тогда дед ему ответил, что, разумеется, четыре года – вполне солидный возраст, однако, чтобы иметь собственный нож, надо еще немножко состариться.

– А что значит «состариться»? Стать таким, как ты? – спросил маленький Артур.

– Почти! – с ходу ответил тогда Арчибальд, растерявшись от настойчивости внука.

Прошло время, а внук по-прежнему стремится поскорее вырасти.

– И кто же счастливая избранница? – с любопытством спрашивает дед.

– Минипутская принцесса Селения, – доверительно сообщает ему внук.

– Никогда не видел более очаровательной девчушки! – одобряет дед выбор внука.

– Значит, ты знаком с ее семьей?

Артур на всякий случай указывает пальцем на Барахлюша, прикорнувшего возле решетки.

– Конечно! А, так это проказник Барахлюш! В темноте я не сразу узнал его. Надо сказать, я впервые вижу его таким спокойным. Наконец-то и на него нашли управу, – с облегчением вздыхает Арчибальд.

Артур пожимает плечами: этот комплимент явно смущает его.

– Мой маленький Артур женился на принцессе Селении! Старый Арчибальд даже мечтать об этом не мог! Теперь ты станешь королем, сынок!.. Король Артур! – торжественно провозглашает он.

Артур окончательно смутился. Он не привык, чтобы его так долго хвалили.

– Король, сидящий в тюрьме, не может быть настоящим королем. Дедушка, давай подумаем вместе, как нам отсюда вырваться! Мы обязаны сбежать отсюда!

И Артур вновь принимается раскачивать решетку. Если они соединят воедино его энергию и дедушкину гениальность, то непременно найдут способ выбраться из этой чертовой темницы!

Но Арчибальд пока не собирается следовать его призыву.

– А как поживает бабушка? – продолжает расспрашивать он.

– Ей очень не хватает тебя. Ну, дедушка, давай же, думай! – торопит внук.

– Конечно, конечно... а как дом? Как там наш дом? И сад? Надеюсь, бабушка за ним ухаживает?

– Сад просто великолепен! Но если мы не вернемся до полудня вместе с кладом, то ни от сада, ни от дома ничего не останется! – отвечает Артур.

– Конечно, конечно... а сарай? Надеюсь, ты не разнес его на кусочки? Когда ты был еще совсем крохой, ты уже тогда пытался что-то там мастерить, – ностальгически вспоминает Арчибальд.

Артур подбегает к деду, хватает его за плечи и начинает трясти, как грушу.

– Дедушка, дедушка! Ты слышал, что я сказал?!

Дед вздыхает и осторожно снимает с плеч руки Артура.

– Конечно, я все слышал, мой мальчик, но... Никто еще никогда не выбирался живым из темниц Некрополиса! Никогда! – печально добавляет он.

– А вот это мы еще посмотрим! А пока скажи мне хотя бы, помнишь ли ты, где спрятал клад?

Арчибальд печально опускает голову, словно собака, упустившая добычу.

– Клад в тронном зале Ужасного У. Он сидит на нем.

– Ничего, недолго ему осталось сидеть! – восклицает Артур, чувствуя, как к нему постепенно возвращаются былые силы и изобретательность. – Селения отправилась разобраться с Урдалаком, и, насколько я ее знаю, от него только пух и перья останутся!

В запальчивости он опять произносит запретное имя.

При звуке этого имени, того самого, что всем приносит несчастье, Барахлюш просыпается и вскакивает на ноги. Так быстро разбудить юного принца Артур вряд ли сумел бы даже пинком.

Арчибальд чертит в воздухе знак креста, стремясь отвести беду, которую сулят звуки имени монстра. Но непоправимое уже случилось. Имя произнесено. И беда не замедлила явиться.

Дверь темницы открывается, и в камеру к оторопевшим узникам вталкивают Селению. Не удержавшись на ногах, девочка растягивается на полу.

Страж быстро запирает дверь, и караул удаляется.

Артур бросается к Селении и помогает ей подняться. Он извлекает из кармана случайно завалявшийся там платок и вытирает ей испачканное лицо. Потом тем же самым платком стряхивает пыль с ее растрепавшихся волос.

Нельзя сказать, что от забот Артура Селения стала чище, однако она вполне оценила его внимание и благодарно улыбнулась ему.

Тем более что для шуток сил у нее сейчас нет.

– Все пропало, – отряхнувшись, тихо произносит она. – Мне не удалось выполнить задание.

Никогда еще Артур не видел принцессу такой растерянной и беспомощной. Оказывается, сердце ее сделано не из железа, да и броня при ближайшем рассмотрении тоже оказывается не столь уж прочной.

– Все пропало, – повторяет она и, усевшись на пол, начинает плакать.

Вооружившись все тем же платком, Артур осторожно вытирает бегущие по щекам принцессы слезы.

– Раз мы живы, значит, ничего не потеряно! Просто надо собраться с мыслями и что-нибудь придумать! – ободряет Артур

Селению. И хотя у него самого на душе кошки скребут, он готов на все, лишь бы она перестала плакать.

Наверное, Селения услышала его молчаливую просьбу: она перестает плакать и с удивлением смотрит на него. Оптимизм Артура, похоже, заразил и ее.

Нет, решительно она сделала удачный выбор. Артур не просто вежливый и великодушный, он еще храбрый и упорный, готов довести любое дело до конца. Все эти качества делают его достойным звания принца. Селения благодарно улыбается мальчику, и тот от радости заливается краской. Но в полумраке темницы никто не заметил, что он покраснел, как помидор.

Приходится признать, что стоит Селении взглянуть на вас, как весь остальной мир внезапно перестает существовать. Она словно горячий очаг посреди холодной тундры, зонтик посреди раскаленной пустыни, чесалка с ручкой, когда сильно чешется спина.

Артур смотрит на Селению и чувствует себя свалившимся в костер снежным комом, медленно тающим от жарких языков пламени. Голова у него кружится, он решительным шагом подходит к прекрасной принцессе и уже собирается поцеловать ее... как между ними, словно чертик из коробочки, возникает шустрый Барахлюш.

– Простите, голубки мои... я не хотел вам мешать, но... полагаю, что, несмотря на необычную ситуацию, следует соблюдать традиции и протокол, – назидательно говорит он.

Слова братца возвращают принцессу к жизни: она мотает головой, словно стряхивая с себя неведомые чары, вскакивает на ноги и принимается отряхивать одежду.

– Черт возьми, на этот раз Барахлюш прав! И где только была моя голова? – ворчит Селения.

Она настоящая принцесса, и поэтому ей не надо объяснять важность протокола и традиций.

Растерянный, Артур чувствует себя щенком, потерявшим мячик.

– А... какие традиции?.. – растерянно спрашивает он.

– Традиции наших предков! Все они записаны в протоколе, и каждая свадьба должна проходить согласно протоколу! – отчеканивает принцесса.

– «После того как принцесса поцелует своего жениха, должна пройти еще тысяча лет, по истечении которых она имеет право подарить ему второй поцелуй, – цитирует принцесса. Она знает протокол наизусть, ведь это входит в ее обязанности. – Желание влюбленных начать совместную жизнь должно быть подвергнуто испытанию. Второй поцелуй бывает более долгим и имеет особую ценность, ибо только то, что даруется нам крайне редко, имеет для нас значение», – назидательно добавляет она, окончательно изничтожив несведущего в вопросах протокола Артура.

Мальчик смотрит на принцессу, совершенно подавленный суровостью минипутского этикета.

– Но... а как же... да, конечно, – бормочет он, кивая.

Но ничего не поделаешь, придется ждать еще тысячу лет.

Внезапно дверь темницы со страшным скрежетом распахивается и на пороге появляется Мракос. Он любит обставлять свои появления шумом и грохотом. Но еще больше ему нравится выступать в роли театрального злодея, который всегда появляется не вовремя и расстраивает планы положительных героев.

– Ну, как тут у вас, не слишком жарко? – небрежно интересуется он и, отломив свисающую с потолка сосульку, засовывает ее в рот.

Острая сосулька напоминает кинжал, и у Артура так и чешутся руки вонзить ее в грудь мерзкого нахала.

– Климат просто восхитительный, – бодро отвечает Селения, хотя в душе ее кипит гнев.

– Отец устраивает небольшой праздник в вашу честь. Вы будете его почетными гостями! – торжественно объявляет Мракос.

Любую фразу своего командира осматы встречают подобострастным смехом. Еще никому не удавалось вырваться из ловушек, которые мастерски устраивает Ужасный У, и приглашенные это прекрасно знают. А потому не ждут от уготованного им зрелища ничего хорошего.

Артур шепчет на ухо Селении:

– Надо бы устроить заварушку. В пылу драки кто-нибудь из нас наверняка сможет удрать.

– Вы что-то хотите сказать, молодой человек? – интересуется Мракос. Выполняя отцовские наставления, он старается быть вежливым и бдительным одновременно.

– Да нет, ничего! Артур просто высказал мне кое-какие соображения, – отвечает за мальчика Селения.

Такая фраза подобна наживке, которую подводят под самый нос, одновременно уговаривая не есть эту гадость. Разумеется Мракос, подобно щуке, глотает наживку, не слушая увещеваний.

– И что же это за соображения? – спрашивает Мракос нарочито заинтересованным тоном.

– Понимаете, они касаются только вас, – тоном, полным иронии, отвечает принцесса.

Мракос вздрагивает. Всегда самоуверенный, он даже предположить не может, что кто-то может отзываться о нем не слишком лестно. А потому он, не задумываясь, раздувается от гордости.

– Прекрасно. Но раз вы сообщили мне тему ваших размышлений, теперь вы можете ознакомить меня с их содержанием, – напыщенным тоном произносит он.

– Что ж, если вам так интересно, слушайте. Артур спрашивал меня, как могло случиться, что ваш никогда не отличавшийся миловидностью отец мог произвести на свет сынка с еще более омерзительной внешностью, чем у него самого. Суть вопроса Артур сформулировал следующим образом: «Ужасающее уродство Мракоса меня интригует». Да, фраза была построена именно так, – членораздельно, стараясь ничего не упустить, выговаривает принцесса.

От изумления челюсть Мракоса отвисает и из пасти вываливается только что засунутая туда сосулька: она еще не успела растаять.

Не отличающиеся ни умом, ни сообразительностью осматы, толпящиеся за спиной Мракоса, по обыкновению глупо ухмыляются.

Мракос резко разворачивается и грозно смотрит на них. Взгляд его, острый как бритва, мгновенно заставляет их умолкнуть. Изо всех сил сдерживая бурлящую в нем злость, готовую вырваться наружу, словно теплая газировка из бутылки, Мракос начинает медленно и глубоко дышать. Возможно, так он открывает у себя потайной клапан, чтобы понизить давление и не взорваться.

Когда пар частично выпущен, он поворачивается к Селении и одаривает ее такой злобной ухмылкой, что внутри у принцессы все холодеет. Безмерно гордясь тем, что он в точности исполнил поручение отца и был предельно вежлив, Мракос елейным тоном заявляет:

– Мучения, ждущие тебя впереди, доставят мне ни с чем не сравнимое удовольствие. Но это впереди, а дело прежде всего. Так что не угодно ли Вашему Высочеству следовать за мной, – с шутовским поклоном обращается он к принцессе.

Да, похоже, что свару устроить не удастся...

– Не вешай нос, мы еще подеремся, – шепчет Артур на ухо Селении. Его очередной план провалился, и он чувствует себя разочарованным, но виду не подает.

Окружив пленников плотным кольцом, осматы выводят их из камеры.

– Ох, не нравится мне эта прогулка, – вздыхает Арчибальд. На его взгляд, орда сопровождающих их осматов не сулит им ничего хорошего.

– Но мы, по крайней мере, вышли из темницы! – подбадривает деда Артур, пытаясь найти в смене обстановки хоть что-то положительное. – Будем бдительны, нельзя упускать ни единой мелочи, ни единой оплошности с их стороны. В этом наш шанс на спасение, – добавляет он.

– Согласен. Только позволь тебе напомнить, что делать дело наполовину не в местных традициях, – подает голос Барахлюш. – В этих краях злодеи не имеют привычки ошибаться.

– Никто не застрахован от ошибок, даже у Ахилла была уязвимая пятка! – уверенным тоном произносит Артур.

Артур, Альфред, Арчибальд, и вот теперь Ахилл. Что ж, он не прочь познакомиться еще с одним членом семьи Артура, размышляет про себя Барахлюш. Интересно, у него в семье все носят имена на «А» или бывают исключения?

– Послушай, Ахилл – это твой кузен? – не выдержав, спрашивает юный принц. Он никогда не был силен в родословной.

Обязанность восстановить историческую справедливость берет на себя Арчибальд.

– Ахилл был могучим героем древности, – тоном школьного учителя объясняет Арчибальд. – Он прославился своей силой и отвагой. Ахилл был неуязвим, точнее, почти неуязвим. Уязвимой была одна-единственная часть его тела, а именно, пятка. У каждого человека есть слабое место, своя ахиллесова пята. Есть она и у Урдалака, – последние слова Арчибальд шепчет Барахлюшу на ухо, и тот при звуках ненавистного имени невольно вздрагивает: ему страшно, даже когда это имя произносят шепотом.

ГЛАВА 10

Чтобы распахнуть двустворчатую дверь парадного зала, требуется по десять осматов на каждую половинку. Наши герои с любопытством смотрят, как огромные стальные двери медленно отъезжают в стороны.

Просторный королевский зал напоминает помещение кафедрального собора.

Под потолком, словно гигантские лампады, висят два резервуара, куда стекают подземные воды, необходимые для поддержания жизнедеятельности дворца. Судя по уже увиденным залам, дворец огромен. В резервуарах просверлены тысячи дырочек, и из них торчат украденные у Артура трубочки для коктейля. Пестрые соломинки, вставленные одна в другую, сходятся воедино и посредством специального рукава подсоединяются к большой канализационной трубе.

Замысел Урдалака ясен: с помощью соломинок он довел воду до дворца, а затем направил ее в канализационную трубу. Труба тянется до самой столицы минипутов. Если пустить по ней воду под давлением, она с силой вырвется наружу и затопит все на своем пути. Потоп же для минипутов означает верную смерть, так как никто из них не умеет плавать.

– Ах, ведь это я научил их подавать воду по трубам! А теперь они хотят воспользоваться полученными от нас знаниями против нас, – вздыхает Арчибальд, разглядывая сооружение Урдалака.

– А я заготовил для них соломинки, – вторит ему Артур, также чувствуя себя ответственным за грядущую катастрофу.

Пленники идут по залу. По обеим сторонам его, взяв на караул, выстроились осматы. В конце зала стоит прозрачная пирамида и светится изнутри красноватым светом. Вблизи видно, что она сооружена из прозрачных красных камней, уложенных один на другой.

Трон, стоящий у подножия пирамиды, изукрашен зловещими символами. Взглянув на него, каждый понимает, что такой трон не может принадлежать доброму королю.

Опираясь на подлокотники, украшенные резными черепами, на троне восседает Урдалак. Прямой как палка, он надменно взирает на всех с высоты своего огромного роста. Впрочем, если бы он даже захотел пригнуться, вряд ли он сумел бы это сделать: его изувеченное тело не позволяет ему наклоняться.

– Ты искал наши сокровища! Вот они! – шепчет Арчибальд на ухо внуку.

Артур слышит слова деда, но не понимает, о чем он говорит. Не желая привлекать внимания стражников, дед не указывает внуку пальцем на сокровище, предоставляя ему возможность самому догадаться, куда следует смотреть.

Озираясь по сторонам, Артур задерживает взор на источающей красный свет пирамиде. Внезапно в голове его что-то щелкает: пирамида сложена из множества драгоценных рубинов! Все камни тщательно подогнаны друг к другу. Вот оно, сокровище, которое должно их спасти!

От изумления Артур раскрывает рот. Пирамида, высящаяся перед ним, поистине не имеет цены! Не в силах оторвать взор от дивного сооружения, он так и стоит с раскрытым ртом.

– Я нашел его! – наконец с гордостью и восхищением произносит он.

– Найти – это еще не все. Неплохо было бы вынести его отсюда, а это уже совсем другая проблема, – нравоучительно замечает Барахлюш. Похоже, юный принц освоился в мрачных чертогах и к нему вернулся его прежний здравый смысл.

Увы, Барахлюш прав. Драгоценная пирамида стоит на огромной выгнутой платформе. Каждый камень весит немало минипутских тонн. Так что вывезти отсюда эти камни не просто.

Артур принимается лихорадочно соображать. Если бы он вернул себе прежний рост! Тогда унести тарелку с драгоценностями (а вогнутая платформа является именно тарелкой, точнее, блюдцем) было бы просто детской игрой.

Значит, надо запомнить место, где сложены рубины, и вернуться сюда после того, как он обретет свой нормальный рост.

К несчастью, мир минипутов несопоставим с миром людей, и те приметы, которые существуют в малом мире, теряются в мире большом. Все, что сейчас Артур видит вокруг, никак не соотносится с миром наверху.

Удар в спину, нанесенный Мракосом, прерывает его раздумья.

– Шевелись! Не заставляй повелителя ждать! – отрывистым лаем приказывает он, больше всего напоминая в эту минуту сторожевого пса.

– Спокойно, мой верный и преданный Мракос! – раздается голос Урдалака, решившего поиграть в благодушие. – Извините его. Он получил задание уничтожить население первого континента, но, к несчастью, не сумел выполнить возложенное на него поручение. Впрочем, за последнее время это не единственная его неудача. Поэтому он немного нервничает. Однако теперь, полагаю, все пойдет как по маслу, ибо я беру дело в свои руки.

Сейчас Урдалак похож на сладкоежку, который слизывает с торта кремовые розочки.

– А сейчас... пусть начинается праздник! – восклицает он, оживляясь, словно выигравший на бегах таракан.

У щелкает пальцами. Звучит музыка, точнее, громоподобная какофония. Словно кто-то играет на скрипке, барабане и стиральной доске одновременно. Арчибальд затыкает пальцами уши.

– Если они снова посадят меня в тюрьму, обещаю обучить их сольфеджио! – кричит он изо всех сил, чтобы его услышали.

Урдалак вновь взмахивает рукой.

Рядом с рубиновой пирамидой из стены выдвигается пульт управления со многими рычагами и большим табло. Перед пультом стоит унылый крот.

– Мино? – громко спрашивает Барахлюш. – Смотрите, это же Мино, сын Миро! Мы были уверены, что он сгинул в запретных землях! А он жив! – Барахлюш ужасно рад видеть товарища своих детских игр живым и здоровым.

Селения тоже рада. Она часто принимала участие в играх мальчиков, особенно когда они играли в прятки. Мино, с его умением мигом прорыть в любом месте подземный ход, всегда выходил из игры победителем. А еще они вместе любили глядеть на небо и считать звезды. Но однажды Мино отлучился и угодил в ловушку, расставленную Мракосом.

Барахлюш подмигивает Мино, но кротенок, как и все его семейство, не отличается остротой зрения. Впрочем, дружеское подмигивание юного принца он все же уловил, кроме того, у него прекрасное обоняние, и он давно уже учуял изысканный запах духов Селении.

Унылое выражение на его мордочке сменяется радостной улыбкой: друзья здесь, они пришли помочь ему. Сердце его взволнованно бьется, грудь наполняет воздух свободы.

– Мино! Полагаю, ты наконец изволил проснуться? Я уже больше часа пытаюсь тебя разбудить! – гневно восклицает Урдалак: у него терпения не больше, чем у голодной акулы.

Мино подскакивает на месте.

– Да, есть, слушаюсь, повелитель! Весь в вашем распоряжении, повелитель! – отвечает он, часто кивая головой.

Мракос наклоняется к отцу.

– Он плохо видит, весь кротиный род плохо видит, – объясняет он Урдалаку, сверлящему крота своим пронзительным взглядом.

Но тому не требуется объяснений. Мракос на минуту забыл об этом. Спохватившись, он делает шаг назад и во искупление своей вины склоняется в почтительном поклоне.

– Урдалак знает все. Я и есть само знание, и моя память, в отличие от твоей, безгранична и удерживает в себе все! – властно отчитывает Ужасный У непутевого сына. – И я ни от кого не терплю замечаний!

– Простите, отец, – смущенно отвечает сын.

– Начинай! – рявкает Урдалак, обращаясь к кроту.

Маленький Мино переминается с лапы на лапу, видимо, вспоминая, на какой рычаг ему следует нажать, и, наконец, нажимает на самый ближний. Невидимый механизм приходит в движение, слышится скрип и кряхтенье проворачиваемых шестеренок: где-то рядом заработала сложная система, состоящая из зубчатых колес, веревок и блоков.

– Я так рад, что Мино жив! – шепчет Барахлюш.

– Когда работаешь на Урдалака, нельзя утверждать, жив ты или нет: ведь это всего лишь отсрочка неминуемой гибели, – замечает Арчибальд. А он знает, о чем говорит.

Механизм долго урчит, потом в самом конце зала в потолке открывается небольшой люк. Судя по тому, что в отверстие устремляется солнечный свет, люк этот ведет на улицу. Солнечный луч быстро добирается до верхушки пирамиды, где закреплен самый большой рубин. Драгоценный камень тотчас становится ярко-красным, за ним начинает пламенеть вся пирамида. Словно новогодняя елка, на которой зажгли сначала верхушку, а потом остальные гирлянды. Теперь пирамида сияет ровным багрово-красным светом, словно выдержанное вино, налитое в хрустальный бокал, через который пропустили солнечный луч.

Зрелище великолепное, и наши друзья, несмотря на свое незавидное положение, сумели его оценить.

Солнечный луч завершает свой бег на последнем рубине, из которого сделан трон Урдалака.

Едва луч касается рубиновых граней, трон вспыхивает алым пламенем. Багровый свет перекидывается на сидящего на троне Урдалака, и черная фигура правителя становится кроваво-красной: Ужасный У превращается в огненное божество.

Осматы издают испуганный вопль. Некоторые даже падают на колени. Подобного рода трюки всегда действуют на толпу, и такой опытный диктатор, как Урдалак, прекрасно умеет ими пользоваться.

Только старый Арчибальд не усматривает в этом зрелище ничего магического, и неудивительно – ведь дедушка Артура ученый. Глядя на сияющие драгоценности, он удовлетворенно улыбается.

– Ну что, Арчибальд? – обращается к нему Урдалак. – Вы можете гордиться тем, как мы употребили полученные от вас знания.

– Очень красиво! Конечно, проку от этого чуть, разве только подкрасить вам щечки, но красиво, – отвечает старик.

Ужасный У, немного подумав, решает не воспринимать слова Арчибальда как оскорбление.

– Что ж, быть может, моя новая оросительная система понравится вам больше, – иронически произносит он.

– Да, сделана неплохо и работать должна хорошо, – признает Арчибальд. – Жаль только, что вы решили использовать ее для других целей.

– Разве? Но ведь ваша система предназначена для доставки воды! – с наигранным удивлением вопрошает Урдалак.

– Да, именно для этого, чтобы поливать растения и давать чистую воду для питья и мытья, но не для того, чтобы устраивать наводнения, – уточняет ученый.

– Но, мой дорогой Арчибальд, мы собираемся устроить не простое наводнение. Мы намерены устроить настоящий потоп и утопить, растворить, навсегда смыть минипутов с лица первого континента! – патетически произносит Урдалак.

– Да вы настоящее чудовище, Урдалак! – качает головой старик.

– Знаю, мне уже сообщила об этом ваша невестка! А сами-то вы кто? Тоже мне, ученый! По какому праву вы изменяете течения рек, прокладываете дороги там, где их не предусмотрела природа? Кто вы такой, чтобы считать себя выше природы и изменять ее творения? Неужели вы считаете себя умнее природы?

Арчибальд не отвечает, и Урдалаку кажется, что он наконец нашел его уязвимое место.

– Вы, ученые, всегда так! Сначала изобретаете, а потом думаете, каковы будут последствия ваших изобретений, – продолжает Урдалак. – Природа тратит на принятие решений долгие годы. Она помогает распуститься цветку, а потом тысячи лет экспериментирует, прежде чем выбрать для него подходящее место, где будет хорошо и ему, и всему, что растет рядом. Вы же, как только что-нибудь изобретете, тотчас провозглашаете себя гениями и требуете, чтобы вас увековечили в пантеоне Истории! – издевательски завершает он.

Мракос ничего не понял из сказанного отцом, но на всякий случай зловеще расхохотался.

– А какие у вас непомерные претензии!.. – презрительно добавляет диктатор.

– Согласен, непомерные претензии, дорогой мой Урдалак, никого не украшают. Иначе вы бы брали призы на конкурсах красоты и бодибилдинга, – отвечает Арчибальд.

Физиономия правителя перекашивается. Не пора ли поставить этого человечишку на место? Или все же подождать?

– Несмотря на этот очевидно враждебный выпад, я расцениваю ваши слова как комплимент, ибо ни один правитель не сможет стать великим, если он ни на что не претендует! – снисходительно уточняет Урдалак.

– Император, король, правитель – это всего лишь титулы. Чтобы стать истинным повелителем, надо быть добрым, справедливым и великодушным, – тоном наставника произносит Арчибальд.

– А как вы думаете, если бы я не был наделен всеми этими качествами, вы бы стояли сейчас здесь, живой и невредимый, да еще, судя по вашим речам, в превосходном настроении? Так что я с полным основанием отношу все вышесказанное вами на свой счет! – издевательски смеется Урдалак.

Мракос тоже хихикает – он в первый раз понял смысл шутки.

– Впрочем, я вскоре докажу вам, что могу быть и добрым, и великодушным... Вы свободны! – объявляет он, сопровождая слова широким театральным жестом.

Повинуясь этому жесту, несколько осматов поднимают решетку, загораживающую вход в канализационную трубу, ведущую в столицу минипутов. Как мы уже сказали, к этой-то трубе и подведены соломинки из накопительных резервуаров.

Арчибальд раньше других понял, какую им готовят ловушку.

– Вы предлагаете нам свободу вместе со смертью? – спрашивает он, глядя Ужасному У прямо в глаза.

– Я предлагаю вам целых два выхода, – отвечает Урдалак, и на лице его появляется улыбка садиста. – Разве это не является признаком великодушия?

– Значит, как только мы войдем в трубу, ты пустишь воду, многие тонны воды? – восклицает принцесса; она тоже поняла, какую участь готовит им Урдалак.

– Советую тебе поменьше говорить, Селения, и побыстрее действовать! – отвечает грозный Урдалак.

– А куда спешить, если другого выхода у нас все равно нет? Вряд ли ты решишь выпустить нас через черный ход! Поэтому у нас один шанс из миллиона, и нам надо как следует все обдумать, – язвительно отвечает принцесса.

– Один шанс из миллиона? Однако ты оптимистка. Я бы сказал: один из ста миллионов, – с усмешкой уточняет У. – Впрочем, это все равно лучше, чем ничего, верно? Так что – вперед!.. И счастливого пути!

Урдалак взмахивает крючковатой лапой, и к пленникам направляется отряд осматов, чтобы втолкнуть их в трубу.

Барахлюш дрожит как осиновый лист. А Артур... Артур наконец нашел идею, которую искал с той самой минуты, как попал в тюрьму.

– Могу я попросить ваше императорское превосходительство о последней милости? Совсем крохотной, только для того, чтобы ваше императорское величество смогли еще раз явить всем свою бескрайнюю доброту, – нарочито смиренно говорит мальчик, склоняясь в три погибели.

– Однако этот малыш мне нравится! – заявляет Урдалак, падкий на лесть, как все диктаторы. – И что это за милость?

– Мне бы хотелось завещать мое единственное сокровище, а именно вот эти часы, моему другу Мино, присутствующему в этом зале.

Маленький крот изумлен: почему все вдруг повернулись в его сторону, а главное, что хочет от него этот незнакомый мальчик?

Урдалак внимательно рассматривает маленькие часы, которые Артур протягивает ему прямо под нос.

Повелитель принюхивается: ловушкой здесь не пахнет.

– Согласен! – отвечает он.

Осматы аплодируют поистине безграничной милости своего повелителя.

Пока Урдалак упивается аплодисментами и лестью приближенных, Артур подбегает к Мино.

– Эти часы просил передать тебе твой отец, – шепчет он на ухо кротенку и надевает их ему на запястье. – Когда я отсюда выберусь, ты подашь мне сигнал, и я смогу найти сокровище. Я буду ждать твоего сигнала ровно в полдень! Ясно? – быстро говорит Артур.

Мино в растерянности.

– Но как я подам тебе сигнал?

– С помощью зеркал, Мино! Ты же умеешь ими управлять! – почти сердито говорит мальчик. Мино – его последняя надежда раздобыть сокровища, без его помощи он не сможет отыскать под землей дворец Ужасного У. – Ты все понял?

Мино растерянно кивает – скорее, чтобы сделать приятное Артуру, а вовсе не потому, что он все понял.

– Довольно болтать, моя снисходительность имеет свои пределы! Уберите их! – приказывает Урдалак.

Он сыт по горло комплиментами, которые расточают ему осматы. Время слов кончилось, пора действовать. Осматы оттаскивают Артура от кротенка и отводят к остальным. Затем всех пленников подводят к огромной трубе.

Мино смотрит, как уводят его нового приятеля, и не знает, как ему поступить.

– Запомни! Ровно в полдень! – кричит Артур, положившись на сообразительность Мино.

Стража вталкивает пленников в люк и опускает за ними решетку. Теперь наши герои отрезаны от мира и им ничего не остается, как идти вперед по трубе.

Канализационная труба может вывести их на свободу, но только в том случае, если по дну ее, как сейчас, будет струиться только тоненький ручеек. Если вода заполнит ее целиком, вряд ли они успеют дойти до конца. Тогда труба станет их могилой.

Мысль эта, одновременно посетившая всех пленников, прилива бодрости не вызывает: все выглядят несчастными и подавленными. Никто не рвется вперед. Да и к чему бежать? Чтобы отсрочить на несколько секунд свою кончину? Уж лучше сразу утонуть! Барахлюш в задумчивости барабанит по стенке трубы.

Эти звуки доносятся до Урдалака.

– Даю вам минуту форы, – громогласно произносит он, чтобы все его услышали. – Теперь вы сможете представить себе, что просто участвуете в соревнованиях!

Азартный игрок, он готов чуть-чуть изменить правила, чтобы игра стала острее.

Мракоса тоже охватил азарт.

– Принесите табло времени! – приказывает он.

Два осмата приносят огромное табло, в центре которого на гвозде наколота кипа сухих листьев.

На верхнем листе написано слово «шестьдесят».

Вцепившись в решетку, Селения с тревогой наблюдает за Урдалаком. Взор ее источает ненависть к Ужасному У, и она надеется, что хотя бы капелька этой ненависти, подобно капле яда, отравит его существование.

– Ты кончишь свои дни в аду! – сквозь зубы цедит она.

– Он уже в аду, – отвечает Артур, беря ее за руку. – Его жизни не позавидуешь. А теперь нам пора. Пошли!

– К чему торопиться? – возражает Селения, выдергивая руку. – Чтобы умереть на минуту позже? Я предпочитаю остаться здесь и встретить смерть лицом к лицу!

Артур вновь берет ее за локоть и держит крепко, чтобы она не вырвалась.

– Лучше минута, чем ничего! За минуту в голову может прийти полезная идея! – твердо говорит он.

Впервые он позволяет себе командовать Селенией, и от изумления принцесса не находит слов, чтобы ему возразить. Неужели ее неуклюжий маленький принц вырос и скоро станет совсем взрослым?

Не отпуская руку принцессы, Артур тянет ее за собой, заставляя бежать вместе со всеми. Селения поражена упорством Артура и в глубине души восхищается им.

Увидев, как пленники убегают, Урдалак радостно восклицает:

– Превосходно! Соревнование всегда придает остроту любому делу! А теперь начинайте отсчет! – почти радостно приказывает он.

Осмат отрывает лист с надписью «шестьдесят», за которым виден следующий лист с великолепно исполненной надписью «пятьдесят девять».

Часы весьма своеобразные. Любой швейцарец пришел бы в ужас от такого хронометра, однако Урдалака они забавляют. Он даже раскачивает головой в такт обрываемым листьям.

– Подготовить затворы, клапаны и вентили! – приказывает он, продолжая ритмично раскачивать головой.

Мракос бежит передать приказание. Он трепыхается от нетерпения, словно вытащенная из воды рыба, а осмат-часовщик отрывает новый листок, за которым следует лист с надписью «пятьдесят два».

ГЛАВА 11

Беглецы мчатся со всех ног посреди отбросов и слоя нечистот, успевших скопиться в трубе за те долгие годы, что труба бездействовала. Арчибальд устает быстрее всех и замедляет ход. Старик провел четыре года в заточении, и все это время он ни разу не занимался физическими упражнениями, и ноги не желают ему повиноваться.

– Мне очень жаль, Артур, но я не добегу! – произносит дедушка, останавливаясь и с трудом переводя дыхание.

Он садится на какой-то круглый предмет, прикрепленный к чему-то большому и твердому. Артур, успевший убежать вперед, останавливается и возвращается к деду.

– Бегите! А я останусь здесь и, надеюсь, сумею достойно встретить свою кончину, – переводя дыхание, заявляет Арчибальд.

– Это невозможно! Я не могу оставить тебя здесь! Давай же, дедуля, еще немного – и мы будем спасены! – уговаривает его Артур.

Он хочет взять деда под руку, но тот ласково отстраняет внука.

– К чему обманывать себя, дорогой Артур? Надо уметь смотреть правде в глаза, а правда говорит нам, что мы пропали.

Успевшие убежать вперед Барахлюш и Селения возвращаются и подходят к Арчибальду. Если даже ученый утверждает, что шанса на спасение нет никакого, к чему тогда бороться? Законы науки, равно как и времени, неумолимы.

Один за другим измученные путешественники, выбрав место почище, садятся и грустно молчат.

Артур решил не следовать их примеру; но и он не знает, что делать дальше.

Тем временем Урдалак наслаждается зрелищем работы своего хронометра. Не чуждый чувству прекрасного, он с удовольствием разглядывает лист, где каллиграфическим почерком выведено: «двадцать». От удовольствия мрачный повелитель даже начинает что-то напевать.

– Однако созерцание прекрасных листьев пробудило во мне аппетит! Полагаю, легкая закуска мне не помешает. Я люблю что-нибудь пожевать во время спектакля! – произносит он, уверенный, что развлекается по-королевски.

Тотчас осмат приносит ему широкое блюдо, где горкой высятся жареные тараканы, любимая еда его сиятельного величества. Впрочем, блюда с этой пищей расставлены во всех залах дворца на случай, если повелитель захочет перекусить.

Проще было бы выделить специального прислужника, который весь день следовал бы за ним с блюдом любимого лакомства, однако Урдалак отверг это предложение. Мелкие жареные насекомые только тогда доставляют ему удовольствие, когда все кругом, сбиваясь с ног, мчатся за деликатесами, а потом в ужасе смотрят, как он поглощает этих не самых приятных созданий. Иначе говоря, любимое блюдо должно быть непременно приправлено пикантным соусом – страхом и отвращением придворных.

Урдалак не знает, что Мракос приказал спрятать в каждом углу по тарелке с жареными тараканами, дабы не заставлять отца ждать и не устраивать переполох на кухне.

– Отлично прожарились! – облизывается Урдалак, разгрызая насекомых и хрустя корочкой.

Мракос воспринимает слова Урдалака как комплимент: он лично вышколил поваров.

Часовщик срывает еще один лист. На следующем листе написано «десять».

– Не торопитесь! – велит Урдалак. – Я хочу насладиться любимым блюдом!

Артур не может смириться с поражением. Он хочет погибнуть героем, сражаться до последнего и пасть на виду у всех.

Расхаживая взад и вперед, он лихорадочно старается придумать хоть что-нибудь, хоть какой-нибудь пустячок, который показал бы всем, что они не сдались на милость победителя.

– Решение должно быть! Не может не быть, выход есть всегда! – убеждает он себя.

– Нам нужна не идея, мой мальчик, нам нужно чудо, – говорит ему Арчибальд, окончательно распрощавшийся с надеждой.

Артур тяжело вздыхает. Он отказался от поисков решения и смирился со своей участью. Устремив взор к небу, он просит послать им чудо. Внезапно он замирает, и слова молитвы повисают в воздухе. Каким образом, сидя в канализационной трубе, он видит небо? Обхватив голову руками, он усиленно размышляет. Ага! Вспомнил! Они добежали до участка трубы, который выходит на поверхность. К сожалению, труба продырявилась вверху, и по вогнутым скользким стенкам до отверстия не добраться.

Эх, как бы им сейчас пригодился любезный паучок с его длинной серой нитью!

Вглядываясь в светлое пятно, он видит, как над ним, повинуясь дуновению легкого ветерка, словно колокольчики, качаются разлапистые веточки овсюга и огромные пушистые метлы мятлика. Глядя на густые заросли травы, Артур вспоминает, вспоминает... Вспомнил! Такая высокая трава, густая и некошеная, растет в самом конце сада, куда выходит сливная труба. Труба старая и ржавая, и на ее поверхности образовались дыры...

Артур усиленно роется в памяти, но больше ничего полезного вспомнить не может. Неужели он так и не найдет выхода?

Опустив голову, он шарит взглядом по дну трубы. Когда глаза его вновь привыкают к полумраку, он видит, на чем сидит его дед.

Это колесо! Наверное, оно упало сверху. Мозг Артура начинает лихорадочно работать. Сад. Труба. Колесо. Упало. Все. В яблочко! И он буквально стягивает деда с его сиденья: Арчибальд сидит на колесе упавшего на бок автомобиля! И не просто автомобиля, а великолепной гоночной машины, полученной Артуром в подарок на день рождения, а потом пропавшей где-то в саду.

– Дедушка! – кричит Артур. – Вот оно, чудо!

Радости мальчика нет предела.

– Объясни, Артур! Мы ничего не понимаем! – вступает в разговор Селения.

– Это машина! Моя машина! Бабулечка подарила ее мне! И она нашлась! – весело объясняет он.

Арчибальд хмурит брови.

– Твоя бабушка потеряла чувство реальности. Не слишком ли ты молод, чтобы водить машину?

– Успокойся, когда она мне ее подарила, машина была гораздо меньше, чем кажется нам теперь! – отвечает мальчик с сияющей улыбкой на лице. – Помогите мне! – обращается он к друзьям.

И все трое изо всех сил принимаются раскачивать автомобиль. Старания их увенчиваются успехом: автомобиль с грохотом падает на все четыре колеса. Многоголосый радостный вопль наших путешественников перекрывает грохот падения авто.

Урдалак удивлен. Интересно, чему эти глупые коротышки могут радоваться, когда на циферблате его хронометра осталось всего три листка? Не сумев разгадать эту загадку, он оставляет все как было. Ведь он почти у цели.

– Открыть шлюзы! – приказывает он.

– Но... часы еще не подошли к нулевой отметке. Осталось три листка, – напоминает Мракос, соображающий, как всегда, очень туго.

– Полагаю, я пока в состоянии сосчитать до трех без твоей помощи! – огрызается Урдалак.

Мракос мчится к затворам, желая поскорей исполнить приказ повелителя, пока тот в гневе не решил утопить заодно и его.

Глядя на Мракоса, часовщик-осмат решает проблему еще проще: срывает сразу три листа.

– «Ноль»! – широко улыбаясь, восклицает он.

Артур подносит бывший некогда малюсеньким, а теперь ставший огромным ключ к отверстию в стенке авто. Но все его старания повернуть ключ ни к чему не приводят: пружина слишком тугая. На лбу у мальчика выступают крупные капли пота.

На помощь приходит Селения, и они вместе пытаются провернуть гигантский ключ.

– А ты уверен, что справишься с автомобилем? – спрашивает Барахлюш, с недоверием относящийся к любому механическому транспорту.

– Это моя специальность, – отвечает Артур, не желая вдаваться в подробности.

Барахлюш немного успокаивается.

Поднявшись по лестнице, Мракос выходит в коридор, вдоль стен которого выстроились осматы.

– Начинайте! – командует он.

Дубинками осматы вышибают клинья, затем Мракос берет палицу и со всего размаху ударяет по крану. В кране булькает, и из него стремительно вырывается вода.

Соломинки заполняются водой. Затем вода устремляется к центральной трубе.

Урдалак ликует. Его коварный замысел осуществился. Ничто не остановит бурный поток, вода скоро хлынет в трубу, где скрылись наши беглецы.

Чтобы повернуть ключ, Артур даже повисает на нем. Селения дует на ободранные ладони: она так старалась помочь Артуру, что содрала кожу, ведь руки у принцесс, как известно, очень нежные.

Внезапно наши герои слышат шум бегущего потока.

Селения в ужасе кричит:

– Ой! Они открыли шлюзы! Артур! Торопись!

Арчибальд и Барахлюш молча прячутся за капотом автомобиля. В зеркало заднего обзора им видно, как издалека к ним приближается огромная масса воды, смывающая все на своем пути.

– Торопись, Артур! – взывает к нему Барахлюш. Зрелище бегущей воды произвело на него не самое благоприятное впечатление.

– Чтобы уехать отсюда, мне надо завести машину! – отвечает Артур.

Испустив боевой клич Тарзана, Артур, ухитрившись, вскакивает на ключ и давит на него всем своим минипутским весом. Ура! Ключ повернулся, приведя в действие пружину. А так как второй раз повернуть ключ времени нет, его надо заклинить. Изловчившись, Артур свешивается вниз, поднимает с земли обломок палки и блокирует ключ. Стоящая рядом Селения в восторге аплодирует.

Спрыгнув на землю, Артур садится в автомобиль на водительское место.

Рычагов на панели управления не слишком много, и он уверен, что вполне с ними справится. Вряд ли управлять игрушечной машинкой труднее, чем стареньким бабушкиным «шевроле». К тому же в трубе им не грозит опасность врезаться в дерево.

– Знаешь, я в первый раз поведу автомобиль, – тихо признается Артур Селении.

– Будем надеяться, что не в последний, – не удержавшись, ехидно замечает принцесса. К счастью, она говорит так тихо, что слышит ее только Артур. Уши у мальчика вспыхивают, но глухое ворчание наступающей воды быстро заставляет его забыть о прочих проблемах.

Взглянув в зеркало заднего обзора, Артур видит огромную серую стену, неумолимо надвигающуюся прямо на них.

– Поехали! – кричит он, кулаком вышибая блокирующую заводной ключ палку.

Колеса крутятся, но машина пробуксовывает и не желает двигаться с места. Наконец воздушная волна, образовавшаяся от движения бурного потока, толкает машину вперед. А может, это пронзительный вопль перепуганных пассажиров сдвинул авто с места?

Во всяком случае, колеса перестают буксовать, и машина на полной скорости рвется вперед. Как ракета, выпущенная из мощной пусковой установки, она мчится по трубе.

Артур обеими руками вцепился в руль. Селения вжалась в кресло.

Постепенно все привыкают к скорости, сгоняют с лиц испуганные улыбки и, словно обычные пассажиры в обычном такси, начинают заниматься своими делами.

Барахлюш бурчит, что больше никогда и ни за что не поедет ни на каких машинах, а будет ходить пешком или ездить на гамулях.

Опьяненный скоростью Арчибальд смотрит на пролетающие мимо стенки трубы и кучки мусора.

– Черт побери, со времени моего появления в стране минипутов прошло всего четыре года, а как далеко за это время продвинулся прогресс в области автомобилестроения! – констатирует он, восхищенный мощностью гоночного болида.

Скорость увеличивается: стены трубы кажутся сплошным серым полотном.

Артур весь внимание. Ему приходится не просто удерживать руль, а по-настоящему вести машину.

Ветер прижимает пассажиров к спинкам кресел, однако Барахлюш ухитряется просунуть свою лукавую рожицу между двух передних сидений.

– На первом перекрестке повернуть направо! – командует он.

Артур хочет предложить юному принцу заткнуться, но тут машина на полной скорости действительно вылетает на перекресток. Резко крутанув руль, мальчик направляет машину вправо, но, похоже, благодарности за свою подсказку Барахлюш не дождется. Принц обиженно надувает губы.

Вскоре автомобиль вновь съезжает на ровную дорогу. Водитель и пассажиры вздыхают с облегчением.

Оправившись от неожиданного крутого виража, Артур не без ехидства говорит Барахлюшу:

– Раз уж ты все знаешь, в следующий раз постарайся предупредить меня пораньше!

Но предупреждение запоздало: впереди уже новый перекресток.

– А-а-а!!! – в ужасе вопит Артур и инстинктивно сворачивает налево.

Едва не врезавшись в перегородку, разделяющую две дороги (извините, две трубы), авто проскакивает в единственный свободный узкий проем. Артур снова может вздохнуть с облегчением.

– Спасибо тебе, Бюш! – злобно шипит он. От страха у него на лбу выступил пот, он заливает ему глаза и мешает следить за дорогой. Боясь отпустить руль, Артур усиленно моргает.

Заметив это, Селения маленьким носовым платочком вытирает ему лоб. Она делает это так нежно, что Артур мгновенно расслабляется и в ушах его начинает звучать чудесная музыка. Внезапно в ее божественные звуки врывается истошный крик Барахлюша.

– Направо! – орет мальчуган, молотя руками по спинкам передних кресел.

Артур, все еще пребывая под действием чар Селении, не в силах различить, где у него право, а где лево, и на всякий случай крутит руль во все стороны.

Развилка приближается с невероятной скоростью. Дружный вопль ужаса, вырвавшийся у пассажиров, наконец-то приводит Артура в чувство. Он чудом успевает направить машину в правый туннель.

Крики беглецов эхом разносятся по всем канализационным трубам.

ГЛАВА 12

Наверное, уже в тысячный раз отец Артура втыкает лопату в землю, со всей силой нажимает на нее, поддевает пласт земли и выбрасывает ее на край ямы. Это его шестьдесят седьмая яма.

Жена его держится на расстоянии – чтобы нечаянно не спровоцировать новых происшествий, которые только усложнят и без того непростую ситуацию. Она не может забыть тихий детский голос, вдруг прозвучавший ниоткуда и до сих пор звенящий у нее в ушах. Она ломает голову над этой загадкой, но в конце концов решает, что воображение сыграло с ней злую шутку, и принимается за работу: снимает шкурку с апельсина, предназначенного для супруга.

Неожиданно ей слышатся звуки совершенно иного рода: словно где-то глубоко под землей булькает вода. Мать Артура настороженно прислушивается. На этот раз шум никуда не исчезает, а, наоборот, становится все отчетливее.

– Дорогой, ты слышишь этот странный шум?

Муж, успевший задремать, опершись на ручку лопаты, встрепенулся.

– Ты о чем? – с недоумением спрашивает он, словно очнувшийся от спячки медведь. Помотав головой, он прислушивается: – А правда, где это шумит?

– Под землей. Наверное, где-то там бежит вода.

Опустившись на колени, мать Артура наклоняется, прикладывает ухо к земле и пытается определить, в каком месте журчит этот неизвестно откуда взявшийся подземный источник.

Отец усмехается.

– Тебе уже чудятся голоса, как Жанне д'Арк? – шутливо спрашивает он. – Если так и дальше пойдет, то скоро ты станешь видеть порхающих ангелов и оживших призраков!

Слова супруга поистине пророческие.

Позади ухмыляющегося отца Артура возникают странные силуэты. Мать замечает их, и улыбка на ее лице застывает, словно она увидела привидение.

– Большие и маленькие монстрики, как в пыльных книжках твоего отца! – продолжает супруг с квохчущим смехом. – Малюсенькие, покрытые шерстью и ужасно уродливые, вместе со своими братцами, огромными черными колдунами!

И он с хохотом начинает подражать африканским танцам – разумеется, в его собственном представлении.

Жена смотрит на него со страхом и недоумением. И дрожащим пальцем указывает куда-то за спину супруга. Потрясение, вызванное появлением загадочных фигур, столь велико, что она, не удержавшись на ногах, с размаху садится прямо в блюдо с фруктами. Апельсины и яблоки раскатываются в разные стороны.

Муж изумлен: только что его супруга разговаривала с ним, и вот ее уже нет.

Он оглядывается и внезапно нос к носу, точнее, нос к пупку, сталкивается с пятью неграми из племени бонго-матассалаи; на них по-прежнему надеты длинные бубу, в руках они держат острые копья.

От страха отец с такой силой налегает на лопату, что она по самый черенок уходит в землю. Зубы его стучат, как пишущая машинка, составляющая собственное завещание.

Разница в росте между двумя мужчинами равна почти метру, так что вождь матассалаи довольно долго наклоняется, пока наконец лицо его не оказывается на уровне головы отца

– У вас есть часы? – вежливо спрашивает африканский гигант.

Резко, словно марионетка, которую дернули за ниточку, отец кивает, что означает положительный ответ. Глядя на свое запястье, он силится различить стрелки на циферблате, но страх застилает ему глаза, и он даже не замечает, что часов у него на руке нет.

– Сейчас... сейчас...

Но сколько бы он ни стучал по запястью, увидеть, который час, ему не дано.

– В кухне есть еще одни часы, – бормочет он, – вот те идут правильно, гораздо лучше этих!

Вождь матассалаи молча улыбается и вновь выпрямляется во весь свой высоченный рост. Отец понимает это как разрешение удалиться.

– Я... я... сейчас вернусь, – умирающим голосом блеет он, а затем, как кролик, удирает во все лопатки к дому.

Мракос с гордостью смотрит на карточку, где тщательно выписаны ряды цифр.

– Согласно моим подсчетам, вода должна добраться до столицы минипутов меньше чем за тридцать секунд! – сообщает он отцу. Для Ужасного У это радостное известие.

– Превосходно, превосходно!.. Меньше чем через минуту я буду абсолютным и бесспорным повелителем всех семи континентов, а народ минипутов отойдет в область воспоминаний, станет крохотным абзацем в великой книге Истории!

Урдалак удовлетворенно потирает руки, чувствуя себя величайшим хитрецом на свете.

Император Свистокрыл де Стрелобарб вышагивает перед воротами своей столицы. Настал час великих испытаний: он уже не надеется сохранить свое королевство. Но потеря королевства – ничто по сравнению с потерей детей. Селения и Барахлюш не вернулись, и их отсутствие тревожит императора прежде всего.

– Который час, мой добрый Миро? – спрашивает он у своего верного крота.

Зверек, чей унылый вид вполне под стать настроению короля, со вздохом извлекает из жилетного кармашка часы.

– Без пяти минут полдень, мой король, – отвечает он.

В отличие от хронометра Урдалака, где нет движущихся в своем ритме стрелок, настоящие часы не могут сократить или растянуть время. В стране минипутов секунда остается секундой, а значит, трагические события неумолимо приближаются.

Добрый король тяжело вздыхает и всплескивает руками.

– Осталось всего пять минут, а у нас попрежнему никаких новостей! – сокрушенно произносит он. Миро подходит к нему и ласково кладет ему лапу на плечо.

– Поверьте, мой добрый король, все будет хорошо. Ваша дочь очень мужественная девочка. И этот Артур, на мой взгляд, тоже очень изобретательный, да к тому же еще и разумный! Уверен, они обязательно вернутся!

Жадно вслушиваясь в слова поддержки, король слабо улыбается.

В знак благодарности он хлопает друга по плечу и уже более уверенным тоном говорит:

– Да услышат боги твои слова, Миро! Ох, да услышат тебя боги!

Несмотря на усталость, Артур по-прежнему обеими руками держит руль. Он привык к скорости и уже успевает реагировать на все повороты.

Машине удалось уйти от волны, которая чуть было не настигла ее, – сейчас скорость авто, по крайней мере, в два раза больше скорости воды.

«Спасибо, бабулечка!» – думает Артур. Без этой машины им бы ни за что не удалось спастись.

Вряд ли бабушка могла предположить, что простая игрушка может превратиться в вещь совершенно необходимую, а уж тем более в вещь, которая спасет жизнь дорогим для нее существам. Неожиданно Барахлюш настораживается, словно собака, взявшая след. Несмотря на скорость, он узнает знакомые места.

– Мне кажется, мы почти у цели! Вон там указатель, он стоит на краю поля с одуванчиками!

Селения всматривается в даль, в глубину туннеля: кажется, и она увидела впереди что-то знакомое.

– Там городские ворота! – радостно кричит она.

Новость встречена пассажирами с величайшим восторгом, все поздравляют друг друга, а Барахлюш от избытка чувств кидается на шею сидящему рядом Арчибальду. Но счастье, как всегда, мимолетно. Неожиданно машина замедляет ход.

– О нет! – в страхе шепчет Артур, не желая пугать своих спутников.

Но авто движется все медленнее и наконец останавливается совсем. Завод кончился. Среди пассажиров начинается паника.

– У нас, видимо, авария? И, полагаю, тоже впервые? – не удержавшись, ехидничает Селения.

Артур, пребывающий в полной растерянности, не знает, что ответить, но тут, к счастью, вмешивается Барахлюш:

– Живей! Надо снова завести пружину, пока вода не настигла нас!

– Невозможно! Это займет слишком много времени! К тому же у меня руки почти не двигаются, – отвечает Артур.

– А ноги? – интересуется Селения.

Беглецы выскакивают из машины и со всех ног устремляются к выходу из туннеля. Теперь расстояние до него кажется таким огромным, словно им предстоит бежать до самого края света. Автомобиль преодолевал расстояния за считаные секунды, они же бегут несравненно медленнее, и вскоре шум воды вновь долетает до их ушей.

– Торопитесь! Вода скоро догонит нас! – кричит Артур, подгоняя Барахлюша и дедушку: оба, и старик, и мальчик, ужасно устали и заметно отстают.

В городе тоже слышат шум приближающейся воды. Король настороженно прислушивается.

– Что значит этот гул? – спрашивает он своего верного Миро.

– Понятия не имею, – честно отвечает крот, – но ногами чувствую, как под землей происходит вибрация, и вибрация эта нехорошая. Но что она означает или сулит – не знаю.

Беглецам осталось пробежать метров двадцать – разумеется, по минипутским меркам.

Обернувшись к дедушке, Артур поджидает его и берет под руку.

– Последнее усилие, дедушка! – упрашивает мальчик, помогая старику бежать.

Маленький Артур полон сил и неукротимой энергии. Тот самый Артур, который и в школе, и дома увиливал от любых поручений, отговариваясь, что у него много уроков, которые он, разумеется, потом не делал, теперь поистине неузнаваем: мальчик стал сильным и мужественным, как настоящий воин, и цепким, как репейник.

Селения первой подбегает к главным городским воротам и изо всех сил колотит по ним кулаками.

– Откройте! – из последних сил кричит она.

Король узнал бы этот голос из тысячи других голосов – это его любимая дочь, его дорогая принцесса, его героиня, вернувшаяся после выполнения трудного задания.

Стражник открывает крохотное смотровое окошко. Хотя волна еще не выплеснулась из трубы, дыхание ее уже разлилось в воздухе, и мощный порыв ветра бросает ему в лицо мелкие водяные брызги.

– Кто идет? – грубо спрашивает стражник, не подавая виду, что ему страшно.

Селения просовывает в окошко руку, а потом, поднявшись на цыпочки, являет и свое маленькое хорошенькое личико. Примчавшийся Барахлюш живо отталкивает сестру и занимает ее место в окошке.

Стражник смотрит на них невидящим взором, и ни один мускул на его лице не приходит в движение. А через пару секунд он и вовсе захлопывает окошко у них перед носом.

Оскорбленная Селения принимается колотить в ворота с удвоенной силой.

Прибежавший к воротам король в изумлении смотрит на стражника. Как он посмел не открыть ворота его дочери?!

– Что вы делаете? Почему не открываете? – возмущается Его Величество.

– Это очередная ловушка! – уверенно заявляет стражник. – Но меня дважды на одном и том же не проведешь! На этот раз они сделали два объемных рисунка, какие делают для мультиков: изобразили Селению и Барахлюша. Принцесса им удалась, а вот Барахлюш не очень – сразу видно, что подделка.

Грозный рев воды слышится все отчетливее, и беглецы продолжают изо всех сил молотить в ворота, в то время как Арчибальд, повернувшись к трубе, подсчитывает, сколько времени у них осталось, и с удивлением обнаруживает, что вода уже показалась. Поток яростно мчится вперед – вскоре он стремительно выплеснется наружу и понесется дальше со скоростью настоящей ракеты.

– Откройте же ворота, ради всего святого! – неожиданно громко кричит Арчибальд. Видимо, тяга к жизни помогла ему собрать последние имевшиеся у него силы.

Король слышит отчаянный крик: если ему не изменяет память, это голос Арчибальда! Монарх подходит к тяжелым воротам, он хочет сам убедиться, что их не обманывают.

Приоткрыв форточку, он видит Селению и Барахлюша.

– На помощь! – охваченные неописуемым страхом, кричат брат и сестра в один голос.

Разгневанный король кричит стражнику:

– Немедленно откройте ворота, трижды вы гамуль!

Стражник бросается к воротам и с помощью своих товарищей убирает огромные задвижки.

– Живей, живей! – подгоняет их Барахлюш. Мальчик только что увидел, как вода поглотила брошенный в туннеле автомобиль. Воздушная волна, бегущая впереди волны водяной, с силой прижимает наших путешественников к створкам ворот.

Последний засов наконец убран, и стражи осторожно приоткрывают створки. Ворвавшийся в щель порыв ветра настолько силен, что, повалив на землю стражников, настежь распахивает ворота.

– Быстрей! Вода прибывает! Надо покрепче запереть ворота! – задыхаясь, кричит Артур, позабыв даже поздороваться с теми, с кем он уже знаком.

Привратник проявляет признаки раздражительности.

– Ну вот, то открывать, то закрывать, сами не знают, чего хотят! – ворчит он.

Тут он замечает гигантскую волну, готовую накрыть всех своим пенистым гребнем. Настроение его сразу меняется, и он устремляется к воротам.

– На помощь! – зовет он своих товарищей, и те, ни о чем не спрашивая, бросаются ему помогать.

Десятки рук толкают створку, а еще десятки всплескивают от ужаса. Столпившиеся возле ворот минипуты громко сокрушаются, что створки такие тяжелые, а ветер такой сильный. Волна же, похоже, рада вырваться на простор, рада добраться до места своего назначения и уже предвкушает, как она смоет с лица земли этот несчастный городишко.

Миро решает подать пример жителям города: он бросается к воротам и упирается в них своими коротенькими лапками. Разумеется, крот больше привык копать туннели, чем толкать ворота, однако когда надо спасать положение, любая помощь поистине бесценна.

Сам король, презрев свой ранг, также рвется помогать.

– Давай, добрый мой Пальмито, помоги мне слезть с тебя! – обращается король к своему верховому животному.

Вскинув мощную лапу, Пальмито берет короля, удобно устроившегося у него на голове, и аккуратно ссаживает его на землю.

– А теперь, Пальмито, закрой ворота!

Пару секунд верный лошабак с недоумением смотрит на хозяина. Надо сказать, Пальмито всегда требуется две секунды, чтобы понять обращенную к нему речь: язык минипутов для него не родной, минипуты же об этом часто забывают, и поэтому нередко принимают Пальмито за дурачка. Но попробуйте сами выучить лошабакский язык, и тогда посмотрим, кто будет выглядеть дураком!

Лошабак выставляет вперед свои мощные копыта, упирается ими в створку ворот и мгновенно сдвигает ее с места.

С лошабаком дело идет на лад. Однако волна уже близко, всего в нескольких метрах от ворот.

Артур прыгает на задвижку, чтобы тяжестью своего тела протолкнуть ее сквозь кольца. Лошабак толкает еще раз, но даже он вынужден остановиться и собрать всю свою немалую силу для противостояния – уже не ветру, а настоящему урагану, поднятому гигантской волной.

Волна мчится к городу... но лошабак наконец захлопывает створки. Артур изо всех сил толкает задвижку, и та входит сразу в оба кольца.

Волна с неслыханной яростью ударяет в ворота. Под ее мощным натиском они сотрясаются, и все наши друзья, дружно пытавшиеся задвинуть второй засов, падают на землю. Один только Артур по-прежнему на ногах: один, он упорно пытается сделать то, что не удалось сделать троим.

Волна уже затопила туннель, и вот-вот ворвется в ворота...

Наконец вторая задвижка входит в кольца. Все, ворота закрыты наглухо, однако полной уверенности в крепости засовов нет, поэтому все больше минипутов спешат к воротам и упираются в них руками, надеясь, что при их поддержке запоры устоят под бешеным натиском воды.

Вода – мощнейшее оружие. Помимо пробивной силы она также обладает свойством просачиваться в любую щель и расширять эту щель до бесконечности, пока не развалится все сооружение. К несчастью, король знает, что в стенах и воротах щелей не счесть.

– Но ведь щелки очень маленькие, они наверняка выстоят! – вслух убеждает он своих подданных, но прежде всего самого себя.

Мракос смотрит на лежащие перед ним счеты. Последняя костяшка медленно катится по проволочке и присоединяется к остальным, скучившимся на другом конце. Операция завершена.

– Ну вот и все! – с удовлетворением произносит он и поворачивается к отцу: – С этого момента вы, Ваше Величество, являетесь единственным и полновластным императором всех семи континентов! – И Мракос низко, даже ниже, чем обычно, кланяется Урдалаку.

Урдалак наслаждается своей победой. Он медленно набирает полную грудь воздуха, а затем так же медленно выдыхает. А так как то, что у него называется грудью, больше напоминает щуплую букву «П», звуки, издаваемые проходящим через новоиспеченного императора воздухом, напоминают завывание ветра в каминной трубе.

– Должен признать, сознание собственного могущества доставляет определенное удовольствие. Приятно, черт возьми, чувствовать себя повелителем мира, – скромно признается он. – Однако еще приятнее сознавать, что все, кто надо, уже покойнички!

Ужасный У всегда был склонен к черному юмору. Даже победа не излечила его от злодейских наклонностей.

К счастью, наши герои сумели избежать смерти, хотя опасность по-прежнему существует, и Урдалак еще может вычеркнуть их из списков живых.

– Как вам кажется, ворота выдержат? – спрашивает столпившихся вокруг подданных король в надежде услышать от них что-нибудь бодрое и оптимистическое.

– Конечно выдержат, – отвечает ему Миро.

Ответ исходит от опытного инженера, так что все с ним радостно соглашаются.

Селения и Барахлюш наконец решаются отойти от ворот и бросаются в объятия отца.

– Крошки мои, как я рад видеть вас живыми и здоровыми! – восклицает король. Радость переполняет его.

Король прижимает детей к себе, рискуя их раздавить. Он счастлив, что дети снова рядом с ним. И, устремив глаза к небу, он смиренно произносит:

– Благодарю тебя, Господи, за то, что ты услышал мои молитвы!

ГЛАВА 13

Бабушке тоже очень хочется, чтобы небо услышало ее. Она прочла уже три молитвы подряд, но пока ничего не происходит.

Вздохнув, она вновь преклоняет колени перед искусно выполненным распятием, украшающим центральную стену гостиной, и начинает читать молитву, обращенную к Деве Марии.

В эту минуту в гостиную влетает отец Артура. Перемазанный в земле, с ошалелым взглядом, он похож на заблудившегося марсианина.

– О ля-ля! Огромные! Невероятные! Всего пятеро! В саду! Все черные! Угольно-черные! Они не иметь часов! – выкрикивает он отрывисто, словно читает телеграмму.

Остановившись посреди гостиной, он пару раз прокручивается на одной ноге, останавливается и продолжает чеканить телеграмму:

– Быстро! Иначе большой черный стать красный гнева! Очень гневается! Не терять времени!

Произнеся этот странный текст, он мчится обратно к двери, через которую, собственно, и вошел, точнее, влетел пару минут назад. Дело в том, что он пришел вовсе не для того, чтобы исполнить данное вождю матассалаи обещание узнать время. Он забежал зачерпнуть немного смелости, чтобы, наконец, отважиться удрать куда глаза глядят, бросив в этом странном саду и жену, и сына. Впрочем, сына давно скинули на руки бабушки, а что касается жены, то он уже не раз подумывал, куда бы подальше от нее удрать.

Бросив взгляд сквозь прозрачную занавеску, прикрывающую окно, он убеждается, что странные посетители все еще в саду. Значит, настал удобный момент для побега.

– Я... я вернусь! – бросает он бабушке и, разбежавшись, скользит к входной двери. Распахнув ее, он сталкивается с пришельцами!

Не сумев затормозить, он в ужасе машет руками, пробуксовывает на пятках и шлепается на навощенный до блеска пол. Руки, выполняющие роль пропеллеров, придают телу необходимое ускорение, и он, не снижая скорости, пролетает в дверь и мчится дальше, вниз по лестнице, используя вместо тобогана собственный зад. Внизу мелкий гравий прекращает действие силы скольжения, и он, подлетев вверх, падает и зарывается носом в садовую дорожку. Пришельцы, к счастью, успели отскочить в стороны.

Впрочем, это не пришельцы, а посетители. Их трое. Первый не слишком велик ростом и нисколько не черен. Он выглядит даже элегантно. Это Давидо. Отец немного успокаивается, а Давидо приветственно приподнимает шляпу. Двое других – черные. Только черное у них не лицо, а одежда. У них черная форма. Это полицейские.

– Полдень! – с широкой улыбкой, словно он только что выиграл в лотерею, сообщает Давидо.

Отец непонимающе пожимает плечами. Давидо вынимает из жилетного кармашка часы, заботливо прикрепленные к кармашку цепочкой.

– Без одной минуты... если быть совсем точным! – добродушно поправляется он. – Это предел моего терпения!

Маленький отряд во главе с Барахлюшем врывается в зал перемещения.

Вновь приходится побеспокоить старичка сторожа, и тот, ворча, выбирается из кокона. Разумеется, настроение у него не самое лучезарное.

– Торопитесь! Я уже на всякий случай повернул первое кольцо! – недовольно бурчит он. – У вас осталась всего минута!

Арчибальд первым садится перед огромной линзой волшебной трубы. Среди провожающих сам король. Он прибыл без своего верного лошабака: животное слишком велико для зала перемещения. Монарх подходит к Арчибальду, старички пожимают друг другу руки и заговорщически подмигивают.

– Только приехал, а уже уезжаешь! – сокрушается король, не в силах скрыть огорчения, вызванного отбытием старого друга.

– Это закон звезд, а звезды не ждут! – с хитрой улыбкой отвечает Арчибальд.

– Да, знаю и очень сожалею об этом. Ты мог бы еще многому нас научить! Ведь кругом столько интересного! – с тоской в голосе произносит король. Арчибальд кладет руку ему на плечо.

– Сегодня вы знаете столько же, сколько я. И вместе мы составляем единое целое: знания одного дополняют знания другого. Разве не на этом держится государство? Разве не в этом сила минипутов? – с чувством произносит старик.

– Да, ты совершенно прав, – соглашается король. – «Чем больше нам хочется плакать, тем больше мы должны смеяться». Пятидесятая заповедь.

– Вот видишь, вы же сами обучили меня этой заповеди! – улыбаясь, отвечает Арчибальд. Король взволнован: он знает, что старый друг искренне любит и уважает его и его народ.

Оба старичка невелики ростом, зато душа каждого поистине безмерна.

Проводник поворачивает второе кольцо – кольцо ума. Его хорошо бы смазать, а то оно ужасно скрипит.

– Позаботьтесь о моем зяте! – с улыбкой говорит дедушке король.

– С удовольствием. А вы присматривайте, пожалуйста, за моей невесткой! – отвечает Арчибальд.

Проводник поворачивает третье кольцо – кольцо души.

– По вагонам! – кричит он, как заправский проводник в поезде.

В последний раз Арчибальд прощально машет рукой, а затем бросается на стекло, которое втягивает его в себя. Старичок исчезает, словно утонувший в варенье кусок печенья.

Влекомый волшебной силой от одной линзы к другой, Арчибальд постепенно прибавляет в росте, а линзы становятся все меньше и меньше.

В конце концов подзорная труба буквально выплевывает его из своих недр, словно косточку от вишни. Но, в отличие от косточки, Арчибальд растет и увеличивается в размерах под действием света и воздуха.

Не удержавшись на ногах, он падает на густую зеленую траву, катится по ней и останавливается. Превращение совершилось – Арчибальд обрел свой прежний рост. Вдыхая воздух полной грудью, он садится на траву и приводит в порядок расшатанные нервы.

Неожиданно перед ним вырастает вождь матассалаи. Он улыбается, обнажив в улыбке крепкие белые зубы.

– Как прошло путешествие, Арчибальд? – спрашивает вождь.

– Великолепно... Немного затянулось, но... великолепно! – отвечает дедушка, очень довольный встречей со старым другом.

– А Артур? – обеспокоенно озирается африканец.

– Он сейчас прибудет!

Наши друзья-минипуты не спешат посадить отважного Артура перед превращательной линзой, да и сам Артур не горит желанием погрузиться в вязкую желеобразную массу, которая проглотит его, как хамелеон глотает прилипшую к языку муху. Но, если он хочет увидеть своих родных и рассказать о своих невероятных приключениях бабушке, ему придется вытерпеть процедуру превращения. Впрочем, он пока еще не уверен, стоит ли обо всем рассказывать бабулечке – она наверняка страшно разволнуется.

К мальчику подходит Барахлюш.

– Мы будем очень скучать по тебе! Возвращайся поскорее! – просит маленький принц.

– Вернусь через десять лун! Договорились, чтоб мне лопнуть! – отвечает Артур, поднимая руку к небу и сплевывая на пол.

Барахлюш удивлен подобным подкреплением клятвы, однако обычай ему нравится, и он решает перенять его.

– Договорились! – повторяет он, тоже поднимает руку и с удовольствием плюет в угол.

Глядя, как старательно подражает ему крошечный человечек, Артур не может удержаться от смеха.

– А ну, поторопись! – напоминает проводник. – Проход закроется через десять секунд!

Артур подходит к огромной линзе.

К нему робко приближается Селения. Ей трудно сдерживать свои чувства.

Глядя на нее, Артур чувствует, как у него мучительно щекочет в носу. Он понимает, что должен сказать что-то важное, но не находит подходящих слов.

– Нам отводится тысяча лет на поиски жениха, а я нашла его всего за несколько часов, – сдерживая слезы, печально говорит принцесса.

– Мне надо возвращаться, моя семья умирает от беспокойства. Твои родные тоже стали бы о тебе беспокоиться.

– Разумеется, конечно, – соглашается Селения, но, судя по сомнению, звучащему в ее голосе, она в этом не слишком уверена.

– А потом, десять лун – это не так уж и долго, – бодрым голосом произносит Артур.

– Десять лун – это миллионы секунд, которые я проведу без тебя, – отвечает Селения и, не выдержав, хлюпает носом.

Глаза Артура тоже на мокром месте. Мальчик проводит рукавом по лицу, пытаясь незаметно убрать предательские слезы, и обнимает Селению за плечи.

– Согласно традиции и протоколу, эти секунды станут проверкой искренности нашего желания быть всегда вместе, – напоминает девочке Артур, хотя ему самому очень хочется послать протокол ко всем чертям.

– К черту протокол! – словно читая его мысли, восклицает принцесса, и не успевает мальчик опомниться, как принцесса нежно целует его. Первый поцелуй любви. Счастье Артура поистине безгранично. Но пока он соображает, что ему теперь делать, принцесса с силой толкает его на линзу и та с чавканьем его засасывает.

– Селения! – кричит мальчик, но вязкое вещество заглушает его голос.

Волшебная сила швыряет Артура в разные стороны, воздушные течения подбрасывают его и вертят как хотят. Теперь он понимает, что чувствуют альпинисты, оказавшиеся в самом центре снежной лавины, которая тащит их за собой. Когда он читал об этом в книжках, он не мог себе этого представить. Стараясь справиться с несущим его потоком, Артур ни на минуту не прекращает молотить руками и ногами – подобно лягушке, упавшей в кувшин с молоком. Раньше эта сказка была его любимой, но потом он нашел дедушкины книги, и больше всего на свете ему стали нравиться африканские приключения.

Линзы, через которые он пролетает, становятся все жестче и все меньше. Последняя линза тверда почти как скала, и, втискиваясь в нее, Артур основательно стукается головой.

Магическая труба вышвыривает его в большой мир. Когда его легкие наполняются свежим, чистым воздухом, ему кажется, что он превратился в воздушный шарик и сейчас улетит. К счастью, это всего лишь его ощущения.

Артур неуверенно делает несколько шагов, падает и катится по траве, словно бревно. Остановившись, он с трудом поднимается на четвереньки и нос к носу сталкивается с Альфредом. Пес улыбается и весело виляет хвостом.

Радуясь долгожданной встрече, Альфред бросается обнимать хозяина и на всякий случай умывает ему языком лицо. Мальчик с хохотом отбивается от бурных излияний нежности верного друга.

– Альфред, Альфред, дай мне хотя бы вздохнуть! – пытается утихомирить пса Артур, хотя сам он тоже ужасно рад их встрече.

На помощь внуку приходит Арчибальд: протянув руку, он помогает ему встать.

Первая, кого видит вскочивший на ноги Артур, – это мама, сидящая посреди рассыпанных фруктов. Ее пристальный взор устремлен на гигантского вождя и его воинов.

Артур бежит к ней и, поскользнувшись на апельсиновой кожуре, падает рядом.

– Что с тобой, мама? – взволнованно спрашивает он, раскидывая вокруг себя яблоки.

– Она увидела нас и упала в апельсины, – объясняет вождь матассалаи. В качестве неопровержимого доказательства он держит в руке недочищенный фрукт.

– Скорее в яблоки, – с улыбкой возражает Арчибальд, ужасно довольный тем, что нашелся повод подшутить над другом. Он наклоняется, поднимает яблоко и показывает его вождю. Африканец в недоумении смотрит на Арчибальда. «Наверное, за время пребывания у минипутов его друг забыл часть слов собственного языка и все еще мыслит по-минипутски», – думает он.

Артур ласково проводит рукой по лицу матери.

– Очнись, мама! – говорит он. – Это я, Артур!

Голос мальчика звучит так ласково и звонко, а главное, неожиданно, что мать наконец приходит в себя. Она моргает, трясет головой и, сбросив с себя оцепенение, с удивлением взирает на живого и здорового сына. Потом, решив, что она все еще спит, вновь закрывает глаза.

– Мама, проснись же, мама! – тормошит ее Артур.

Мать широко раскрывает глаза.

– А что, разве это не сон? – растерянно спрашивает она.

– Да нет же! Это я, Артур, твой сын! – говорит мальчик и, взяв мать за руки, поднимает ее на ноги.

Сообразив, что ребенок ее нашелся и с ним все хорошо, мать принимается рыдать.

– О, мой мальчик! Мой дорогой сынок! – причитает она и снова падает в раскатившиеся во все стороны апельсины и яблоки.

В другом конце сада разыгрывается совершенно иная сцена. Ничего не подозревающая бабушка следует за Давидо. Встав на цыпочки и приложив ладонь козырьком ко лбу, владелец «Корпорации Давидо» вглядывается в даль, ища взглядом тоненькую полоску дороги, петляющую по вершинам холмов. Затем смотрит на часы, которые, словно судья на соревнованиях, держит в руке.

– Итак, ровно полдень! – гордо возвещает он бабушке и сопровождающим его двум полицейским. – Ровно полдень, а на горизонте ничего! И никого! – добавляет он, видимо, из чувства долга. А может, просто для того, чтобы лишний раз повернуть нож в ране.

Давидо изображает крайнее отчаяние, но настолько фальшиво, что ему не верят даже прибывшие с ним полицейские.

– Боюсь, даже в такое прекрасное воскресенье, в день, когда Господь велел всем отдыхать, чуда не случится! – лицемерно вздыхая, произносит он.

И, отвернувшись от бабушки, довольно хихикает. Из него вышел бы превосходный осмат. Бабулечка пытается скрыть свое отчаяние, полицейские вообще ничего не понимают. Они бы с удовольствием помогли почтенной старушке, но сейчас закон на стороне Давидо, и именно он будет диктовать, что им делать.

Мерзенькая улыбочка покидает лицо Давидо, и оно вновь становится серьезным.

Откашлявшись и прочистив горло, негодяй поворачивается к бабушке... и с ужасом видит, что та уже не одна. Рядом с ней, словно по волшебству, появились Арчибальд и Артур. Вот оно, то самое чудо, которого так ждали все! В растерянности Давидо буквально лишается дара речи.

Если бы фокусник Копперфильд сумел на глазах у зрителей заставить исчезнуть целый город, вряд ли Давидо удивился бы больше. Что ж, бывает, магия! Но то, что случилось сейчас, поистине необъяснимо. Это не магия и не чудо. Это катастрофа!

Узнав Давидо, Арчибальд улыбается ему подчеркнуто вежливо.

– Вы правы, Давидо, прекрасный воскресный день! – восклицает почтенный старец, никогда не упускающий возможность посмеяться.

Неожиданное появление Арчибальда так действует на Давидо, что он застывает как вкопанный и только широко открывает и закрывает рот, словно выброшенный на сушу карп.

– Нам надо подписать кое-какие бумаги, не так ли? – спрашивает дедушка.

Давидо мучительно соображает и наконец кивает. Пережитый им шок отрицательно повлиял на его умственные способности, и без того достаточно ограниченные.

– Пройдемте в гостиную, там прохладнее, и нам будет удобнее, – подчеркнуто вежливо предлагает Арчибальд.

По дороге к дому он успевает шепнуть на ухо Артуру:

– Сейчас нам бы очень пригодился клад. Я постараюсь выиграть время, а ты займись рубинами.

Артур не уверен, что на его долю досталось самое простое задание, однако доверие, оказанное ему дедом, переполняет его гордостью.

– Можешь на меня рассчитывать! – скромно, но с достоинством отвечает он и бегом мчится в другой конец сада.

Пробежав несколько метров, он со всего размаху падает в яму, вырытую его отцом.

Альфред опускает морду в яму: интересно, во что теперь хочет поиграть его хозяин?

– Ефо не фсе фатеряно! – кричит со дна ямы Артур, отплевываясь от набившейся в рот земли. – Фейчас я фыберусь отфуда...

ГЛАВА 14

Армия новоиспеченного императора выстроилась на дворцовой площади Некрополиса. В преддверии осуществления своих далекоидущих завоевательских планов Ужасный У решил провести смотр своему войску.

Воины построены таким образом, что, если посмотреть сверху, получатся две заглавные буквы «У». Тысячи осматов восседают на боевых комарах, готовых лететь на покорение чужих земель.

Урдалак выходит на парадный балкон, нависающий над огромной площадью, и удовлетворенно окидывает взором свою непобедимую армию. По такому случаю он надел новый плащ цвета воронова крыла, украшенный сверкающими звездами кроваво-золотистого цвета.

Армия встречает своего могущественного повелителя ликующими криками. Величественным жестом император протягивает вперед рукоклешни: так делает Римский Папа, когда выступает с балкона перед своей паствой.

Ужасный У наслаждается величием победителя, хотя, по мнению кротенка Мино, победа Урдалака должна именоваться гнусным злодеянием. Мино по-прежнему сидит возле пирамиды и мучительно размышляет, как ему поступить. Если судить по надувшемуся от гордости Урдалаку, мальчик, вручивший ему часы, должен был утонуть вместе со всеми минипутами. А вдруг ему все же удалось спастись?

Получить ответ на этот вопрос невозможно, а решить, что делать, необходимо. И кротенок принимает решение: даже если шанс всего один из миллиона, он обязан предоставить его тому симпатичному мальчику. Если он выплыл, он примет сигнал. Значит, сигнал надо подать.

Мино в растерянности смотрит на врученные ему часы. Артур забыл всего одну, но очень важную деталь. Маленький сообразительный кротенок в состоянии определить, который час. Но разглядеть цифры на циферблате надетых на лапу часов он не может. Кроты очень плохо видят, а Мино в особенности. Вблизи он не различает ни цифры, ни буквы.

Мино ужасно взволнован. Он вытягивает руку с часами то вперед, то вверх, пытаясь отвести циферблат подальше. Но безрезультатно. Мино подслеповат, как любой крот.

Артур кругами ходит по саду. С высоты его земного роста распознать место, где под землей находится клад, невозможно. Наконец ему удается отыскать тоненький ручеек: кажется, именно по нему они плыли в ореховой скорлупке. По течению ручейка мальчик доходит до остатков стены. Высота развалин не превышает двух-трех кирпичей. По кирпичам он добирается до огромного резервуара с водой.

Где-то здесь должна находиться спрятавшаяся в траве тонкая водоотводная трубка. Альфред, жаждущий помочь хозяину, тоже ищет, но безуспешно. Зато он отыскал давно потерянный мячик и гордо кладет его к ногам хозяина: как знать, не это ли тот так старательно ищет?

– Сейчас не время для игры, Альфред! – озабоченно говорит ему мальчик.

Схватив мячик, он размахивается, желая зашвырнуть его как можно дальше: если мяч скроется с глаз, собака поймет, что игра окончена.

Мино подходит к одному из стражников, охраняющих пирамиду.

Легким кашлем заявив о своем присутствии, он вежливо спрашивает:

– Извините за беспокойство. Но не могли бы вы посмотреть, который час? Я вблизи очень плохо вижу!

Большинство осматов не отличаются ни умом, ни сообразительностью. Но кротенку повезло: он наткнулся на осмата, который соображает хоть что-то. Выслушав просьбу кротенка, караульный наклоняется и смотрит на браслет с часами.

– Не умею читать! – рявкает он вместо ответа.

Безмозглый грубиян!

– О! Что ж, тем хуже, но ничего страшного, – с сожалением отходит от него маленький крот.

– Ну, давай же, давай же, Мино! Быстрее! – мысленно поторапливает кротенка Артур, понимая, что голоса его тот все равно не услышит.

Радостно виляя хвостом, Альфред приносит мальчику мячик. Решительно, он не может понять, какая трагедия вот-вот случится, если Артур не найдет клад! Для него сейчас существует только мячик, и он мечтает поиграть с ним и с хозяином.

Торопясь отделаться от собаки, Артур хватает мячик и с удвоенной силой зашвыривает его на другой конец сада. Когда у него нет времени поиграть с Альфредом, он всегда забрасывает мячик куда-нибудь подальше. Но усталые руки и легкий ветерок на этот раз решают по-другому. Мячик изменяет направление, летит в сторону дома и, пробив стекло, влетает в гостиную.

Подскочивший от неожиданности Давидо опрокидывает чашку с кофе на свой роскошный кремовый костюм. Кофе был крепкий и без молока, и пятно резко контрастирует с цветом костюма. Давидо изрыгает массу слов, скорее всего малоприятных, но дефект дикции превращает их в кашу.

Бабушка спешит к нему с тряпкой в руке, в то время как дедушка, отвернувшись, пытается подавить смех.

– О! Ах, как мне жаль! Но, понимаете, дети...

Выхватив тряпку из рук бабушки, Давидо сам вытирает костюм.

– Нет, благодарение Богу, не понимаю и понимать не желаю! – сквозь зубы цедит он.

– Ах, эти ребятишки! – умиляется Арчибальд. – Ребенок подобен агнцу Божьему, он вселяет в вас жизнь, и, будьте уверены, без детей нам было бы гораздо хуже! Вот мне, например, ребенок спас жизнь! – восклицает он. Но слова его понятны только ему одному.

– Давайте оставим агнцев в покое и вернемся к нашим баранам, – предлагает Давидо, вновь пододвигая Арчибальду бумаги, требующие его подписи.

– Разумеется, – отвечает дедушка, разглядывая бумаги.

Ему необходимо что-нибудь придумать, чтобы выиграть время.

– Позвольте мне сначала принести вам еще чашечку кофе вместо разлитой! – предлагает он и, не дожидаясь ответа, встает и идет на кухню.

– Не стоит, не трудитесь! – вслед ему кричит Давидо, однако дедушка притворяется глухим и, не оборачиваясь, продолжает идти.

– Сейчас я приготовлю вам кофе, который привезли мне из Центральной Африки. Надеюсь, вам он понравится, – говорит дедушка, занимаясь приготовлением ароматного напитка.

Вознесшись над ликующей армией, Урдалак простирает к ней свои рукоклешни.

– Мои верные солдаты! – начинает он, дождавшись, когда стихнут приветственные возгласы.

Тотчас на площади воцаряется мертвая тишина. Осматы благоговейно внимают речи своего предводителя, упиваются ею, словно божественным нектаром.

– Час славы настает! – восклицает У голосом, от которого кровь стынет в жилах, а по спине начинает метаться стадо многоногих холодных мурашек. Эхо далеко разносит слова У, так что все, кому они предназначены, непременно их услышат.

После каждой его фразы осматы восторженно вопят. Но никто не знает, понимают они обращенную к ним речь или же просто исполняют указание, написанное на табличке, которую им в нужный момент показывает Мракос, расположившийся за спиной у

Ужасного У. Но так как большинство из них не умеют читать, и даже те, кто умеют, вряд ли могут прочесть такое длинное слово, как «аплодисменты», то на всякий случай осматы испускают ликующие вопли при каждом появлении таблички.

Подождав, пока воцарится тишина, Урдалак продолжает речь:

– Я обещаю вам богатство и власть, величие и вечность!

Осматы, не понимая, что сулит им их начальник, вновь восторженно кричат. Только Мракос догадывается, что Ужасный У самым бессовестнейшим образом лицемерит, ибо ни богатство, ни уж тем более власть, а заодно и величие, и вечность он ни с кем делить не собирается.

– Скоро мы отправимся завоевывать новые земли, где вы найдете все то, что я вам пообещал! – добавляет он, и его слова вызывают у собравшихся настоящий шквал восторга.

Теперь все – и осматы, и комары – понимают, что речь идет о захватах и грабежах, а так как и те и другие созданы только для того, чтобы воевать, то армия Ужасного У дружно вопит и трепещет крыльями от восторга.

Мино ломает голову, как ему узнать, который час показывают его часы. Ведь без этого он не сможет выполнить просьбу Артура! И он решается на вторую попытку.

– Простите, это опять я, – вежливо обращается он к облюбованному им осмату. – Я дарю это вам! – говорит он, с радостной улыбкой протягивая ему часы.

Как уже говорилось, сообразительность не принадлежит к основным достоинствам осмата. Он вполне может не знать, что такое часы, а получать подарки осматы не привыкли, ибо из них с самых первых шагов воспитывают разбойников.

Зная об этом, Мино не дает своему избраннику времени для раздумий, а просто надевает браслет с часами ему на клешню.

– Вот! Вам очень идет! – говорит он и трусцой бежит к себе за пульт.

Осмат смотрит на часы как баран на новые ворота.

– А? Что? – ошалело спрашивает он.

Мино уже отбежал довольно далеко. Он останавливается и оборачивается.

– Что мне с этим делать? Я же не умею читать! – кричит ему осмат тоном обиженного крокодила.

– Это не имеет значения! Когда вам понадобится узнать время, вам достаточно поднять руку и показать часы тому, кто умеет читать. Мне, например. Поднимите руку, и вы увидите, как это просто.

Осмат, глупый, как карась, никогда в жизни не видевший щуки, на всякий случай поднимает сразу две руки. Наконец-то маленький крот может разобрать, который час, так как циферблат теперь находится на нужном для него расстоянии.

– Боже мой! – в испуге вскрикивает он. – Уже пять минут первого!

Со скоростью вихря малыш Мино мчится к своим рычагам, оставив осмата в позе вороньего пугала – очумевшего и с поднятыми руками.

Наверху Артур ждет сигнала маленького крота. Кругом все тихо, ничего не происходит. Надежда начинает покидать мальчика.

Но панике поддаваться рано, Мино твердо намерен выполнить свое обещание.

Кротенок стремительно производит нужные подсчеты. Никто даже представить себе не может, как быстро умеют считать кроты!

Затем Мино начинает поворачивать рычаги на пульте, один за другим, и положение рубиновой пирамиды меняется. Луч света больше не падает на нее. К счастью, этого никто не замечает, так как все, включая дворцовую стражу, благоговейно слушают речь Урдалака. А держать в голове две мысли одновременно осматы не способны.

Впрочем, речь Урдалака подходит к концу.

– Так пусть начинается праздник! – завершает он.

Ликующая армия ревет от восторга: никогда еще осматы так бурно не выражали свои эмоции.

В едином верноподданническом порыве воины подбрасывают вверх оружие. В течение нескольких минут на площади царит невообразимый гвалт. Отнюдь не каждый осмат способен поймать подброшенное им оружие. Боевые мечи и палицы падают куда придется, и раненых уже считают десятками. Сосчитать тех, кто отделался синяком или шишкой, просто невозможно.

Сраженный тупостью своего вопящего войска, Урдалак в отчаянии разводит рукоклешнями.

Пользуясь возникшими беспорядками, Мино приводит в действие главный механизм, управляющий движениями пирамиды.

Зеркала ловят световой луч, отражают его и превращают в мощный пучок красных лучей, который, оттолкнувшись от вершины пирамиды, устремляется ввысь и вырывается на поверхность земли.

В изумлении от представшего перед их взорами зрелища собравшиеся на площади издают громогласное «а-а-ах!». Все уверены, что эта игра света является частью обещанного праздника.

– О-о! Какой красивый красный свет! – доносится со всех сторон.

Мино еще поворачивает рукоятку, и интенсивность свечения пирамиды усиливается. Красный луч молнией рассекает небо Некрополиса.

– Великолепно, божественный повелитель! – подобострастно восклицает Мракос и аплодирует, но негромко, дабы не заглушать восторженные выкрики подданных Ужасного У.

Урдалак уверен, что не имеет никакого отношения к этому лучу, но не уверен, стоит ли ему в этом признаваться.

Наверху, в большом мире, в саду, прямо под ногами Артура из-под земли вырывается красный луч и рвется к небесам.

Артур издает радостный вопль и бросается на землю, чтобы заглянуть в ямку, откуда рвется луч.

Подбегает Альфред: ему наконец удалось отыскать мячик. Зато хозяин его, кажется, нашел нечто лучшее: аппетитный красный свет, напоминающий о свежей отбивной и клубничных леденцах.

Артур опускает в ямку руку, но, к сожалению, ямка глубока и рука мальчика не достает до дна.

Мино видит, как отверстие, через которое только что выбивался яркий луч, заслонила черная тень: это Артур склонился над ямкой.

Ужасный Урдалак тоже видит закрывшую свет тень мальчика у себя над головой. Он не догадывается, что это за тень, но ему становится не по себе.

– Немедленно выяснить, что происходит! И схватить идиота, посмевшего загородить нам солнце! – приказывает он дежурным осматам.

Артур лихорадочно скребет в затылке. Он взмок от напряжения, лоб его усеян капельками пота.

– Послушай, Альфред, мне непременно надо что-нибудь придумать! И не просто придумать, а придумать немедленно! – взволнованно говорит мальчик, обращаясь к своему верному псу.

Альфред поднимает уши, прислушивается, а потом глухо тявкает, словно просит повторить вопрос.

Артур вздыхает. Вряд ли этот глупый пес сможет ему помочь: он только и знает, что таскать в пасти свой любимый мячик и подсовывать его тебе под нос, приглашая поиграть!

Внезапно Артур замирает. Нос. Мячик. Идея!

– Мячик! Ну конечно же мячик!

С радостными криками мальчик кидается к Альфреду.

– Ты спас мне жизнь, Альфред! Дай мне скорее мячик!

Решив, что игра продолжается, пес, схватив мячик, весело мчится вперед. Как здорово, что хозяин наконец решил поиграть с ним!

Артур мчится за псом, но, так как он бежит на двух ногах, а Альфред, разумеется, на четырех лапах, догнать собаку ему очень трудно.

Тем временем стражники бросились исполнять приказ Ужасного У.

Ворвавшись в тронный зал, они устремляются к выдвижному пульту управления люками, расположенными в крыше дворца и в куполе над площадью. Увидев у пульта Мино, они, выставив вперед копья, наступают на него.

Дрожа от страха, кротенок растерянно смотрит по сторонам в поисках какого-нибудь оружия.

– Стой! – Артур кричит так громко, как не кричал еще никогда в жизни. У него даже горло заболело. Таким криком можно пригвоздить к земле кого угодно. И Альфред, услышав этот жуткий вопль, замирает на месте, словно его парализовало. Еще бы, ведь хозяин вдруг закричал совершенно не своим голосом. Быть может, когда он пропадал неизвестно где, к нему в живот забралось страшное громогласное чудовище?

Альфред разжимает челюсти, мячик падает на землю, и Артур тотчас подхватывает его.

– Спасибо, друг! – говорит он псу своим обычным ласковым голосом и дружелюбно треплет его по голове.

Вот, оказывается, зачем хозяин так вопил. Он хотел получить мячик за просто так!

ГЛАВА 15

Для Мино, похоже, настал последний час.

Стражники плотной стеной надвигаются на крохотного кротенка. Лихорадочно озираясь по сторонам подслеповатыми глазками, Мино не видит ничего, что могло бы послужить ему оружием. Тогда кротенок становится в боевую стойку: настоящий Брюс Ли в кротином исполнении.

– Эй, берегитесь! – предупреждает Мино, выставив вперед свои коротенькие, но сильные лапки. – Я ведь могу и разозлиться!

Слово «разозлиться» в Некрополисе имеет право употреблять только Урдалак, поэтому в устах маленького кротенка оно звучит особенно оскорбительно. И разъяренный повелитель, вступивший в зал следом за своими воинами, в гневе выхватывает из ножен могучий меч Селении. Разделавшись с пленниками, он решил, что имеет право оставить его себе.

Плотный строй осматов размыкается, Ужасный У выходит вперед и, взмахнув мечом, что есть силы бросает его в кротенка.

Хотя вблизи кроты видят плохо, зато вдалеке – прекрасно. Увидев, как в его сторону со скоростью выпущенного из зенитной установки снаряда летит меч, Мино мгновенно производит в уме необходимые подсчеты и наклоняется вправо.

Он уверен, что даже небольшого отклонения от траектории полета меча достаточно, чтобы тот пролетел мимо. Действительно, клинок со свистом проносится в нескольких сантиметрах от изменившейся от страха мордочки Мино и со звоном падает на пол.

Урдалак приходит в неописуемую ярость: ему стыдно за свой промах.

Но сейчас у него нет ни времени, ни желания анализировать причину этой неудачи. Необходимо завершить начатую операцию и схватить гнусного крота!

– Арестуйте его! – приказывает Ужасный У топчущимся на месте осматам.

– Я вас предупреждал – я могу разозлиться! – медленно отступая, вежливо напоминает Мино.

Осматы усмехаются: трудно поверить, что такой маленький кротенок может оказать сопротивление целому отряду. Что ж, сами виноваты. Огромный, словно метеорит, предмет полностью закупоривает отверстие в куполе. Это теннисный мячик, и он в двести раз больше любого, даже самого крупного, осмата. Воины поднимают головы, пытаясь понять, куда исчез свет. Смотрят они недолго. Через пару секунд мячик падает прямо на них.

Спасаясь от падающего мяча, Урдалак выбегает на балкон. Перегнувшись через перила, он пытается понять, что случилось и велики ли разрушения, причиненные неизвестным предметом.

– Арестуйте его! – на всякий случай кричит он, не замечая, что выполнять его приказ некому. Да и как можно арестовать круглый мяч?

Упав на землю, гигантский мяч подпрыгивает, сметая со своего пути осматов, словно сухие листья, а потом катится дальше, давя, уничтожая и разрушая все на своем пути.

Соломинки и трубы разлетаются в разные стороны, словно кегли в боулинге, и вот уже из десятка отверстий, к которым прежде были подведены трубочки, хлещет вода. На площади начинают бить многочисленные гейзеры, в тронном зале взлетают кверху брызги мощных фонтанов. Поток, направленный Урдалаком в трубу, по которой бежали Артур с Арчибальдом и их друзья, теперь, ничем не сдерживаемый, выплескивается наружу и растекается во все стороны.

Подхваченный течением, мячик несется к трубе; водоворот вот-вот затянет его внутрь. Но мяч слишком велик, и поэтому он, словно пробка, затыкает собой отверстие трубы. Не находя выхода, вода постепенно затопляет площадь. Среди осматов начинается паника.

– Сделай же что-нибудь! – приказывает Урдалак сыну, но у несчастного давно уже нет никаких мыслей, он может только дрожать и молиться.

Мино подбегает к пирамиде и прячется между рубинами. Зрелище, разворачивающееся перед ним, поистине грандиозное: вода затопила дворцовую площадь Некрополиса и крошечные лавчонки мелких торговцев покачиваются на волнах, как уродливые лодки.

Не успевшие подняться в воздух комары медленно погружаются в воду. Те, кто еще способны сопротивляться, бьют по воде тонкими крыльями, но они быстро намокают, и владельцам их ничего не остается, как медленно идти ко дну. Несколько комаров кружат под потолком тронного зала.

Свалившиеся в воду осматы тонут быстро: тяжелое вооружение не позволяет им держаться на воде.

От подмытых водой стен отваливаются огромные куски и с громким плеском падают, поднимая брызги и вызывая волны, которые подхватывают плавающие на поверхности лавчонки и швыряют их на стены дворца прямо под балконом Урдалака. Вода поднимается поистине с катастрофической скоростью и скоро затопит и балкон повелителя. Ужасный У понимает, что ему грозит смертельная опасность, но понять, откуда она взялась, не может. Каким образом какой-то кротенок сумел вызвать ужасное наводнение? Неужели его могущественной и непобедимой империи суждено пасть под ударами стихии, разбушевавшейся по велению ничтожного крота?

Иногда достаточно одной песчинки, чтобы остановить гигантский механизм, тоненького каблучка, чтобы повергнуть на землю великана, нескольких храбрецов, чтобы остановить целую армию. Обо всем этом можно прочесть в «Книге Великих Мыслей», и крот Миро сотню раз советовал Урдалаку заглянуть в нее. Тогда бы он наверняка вспомнил двести тридцатую заповедь, где говорится, что «чем меньше гвоздь в подметке, тем больнее он колется и впивается в ногу».

Урдалак получил жестокий урок и надолго запомнит его. Если, конечно, сейчас ему удастся выбраться из этого водяного ада. Ужасный У чувствует, что пропадает, гибнет вместе со всем своим королевством.

Вода поднимает тарелку с высящейся на ней горкой рубинов, и яркие красные камешки уже блестят у краев ямки.

Мино – единственный пассажир на борту плавучего блюдца. Он сидит, забившись в щель между двумя рубинами. Ему так страшно, что у него оледенел желудок, а сердце вот-вот удерет в пятки.

Кроты не любят путешествовать по воде, лодки и корабли созданы не для них, и Мино чувствует, как у него начинается морская болезнь.

Урдалак тоже чувствует себя отвратительно – его королевство буквально разваливается у него под ногами. Вода подступает к балкону, а он все еще не нашел выхода из создавшегося положения. Поняв, что вода подобралась к его ногам, он оглядывается и, увидев пролетающего мимо всадника, прыгает на спину комара.

Осмат, управляющий комаром, раздувается от гордости: еще бы, ему выпала честь везти самого повелителя! Но на корабле может быть только один капитан. И не важно, что служит кораблем. Урдалак хватает осмата и легким движением рукоклешни сбрасывает его вниз.

Не успев даже пикнуть, бедняга камнем идет ко дну.

Уверенной рукоклешней Урдалак берет поводья: он намерен покинуть город.

– Отец! Куда же ты? – раздается крик Мракоса.

Натянув поводья, Урдалак останавливается.

– Не покидайте меня, отец! – умоляет Мракос.

Зависнув над сыном, Урдалак торжественно объявляет:

– Мракос!.. Я назначаю тебя капитаном!

Сын польщен таким высоким назначением, но как им воспользоваться, если кругом вода? Он готов стать капитаном, только капитаном сухопутной армии. А Ужасный У назначил сына капитаном тонущего судна своей империи. Но надежда умирает последней, и Мракос протягивает клешню, полагая, что ему достанется местечко на комаре.

– Капитан никогда не покидает своего корабля! – возмущенно говорит Ужасный У. – Сколько раз можно напоминать тебе правила поведения доблестного воина?

И, натянув поводья, Урдалак разворачивается, набирает высоту и исчезает под куполом Некрополиса.

Растерянный Мракос стоит разинув рот. От изумления он не в силах вымолвить ни слова. Как и все в мире минипутов, он не умеет плавать, но желание занять должность капитана – раз его удостоили этого звания! – столь велико, что Мракос внезапно начинает соображать. И мысль новоиспеченного капитана бежит в правильную сторону.

Стихия наступает. Мракос, скинув тяжелые сапоги и выбросив висящий на нем арсенал, начинает усиленно бить по воде всеми имеющимися у него конечностями. Добравшись до покачивающейся на волнах лавчонки, он хватается за нее и ловко забирается наверх. Устроившись поудобнее на своем плавучем домике, он запасается терпением и ждет, когда вода доставит его к какому-нибудь выходу из подземного города. Там, наверху, капитан сумеет набрать себе победоносную армию...

Растянувшись на траве, Артур прикладывает ухо к земле и слушает доносящееся из ее глубин журчание. Маленькая ямка, куда он бросил мячик, все еще пуста, и ему кажется, что он снова ошибся и искать надо в другом месте...

Пересечь семь минипутских континентов, пройти под землей, победить в сражениях с осматами, отведать Огненного Джека, жениться на принцессе, спасти дедушку, найти клад и... потерпеть неудачу у самой цели. Нет, это несправедливо, Артур не может с этим смириться. Небо всегда помогало ему, так почему же теперь оно должно бросить его на произвол судьбы? Подбадривая себя, он снова склоняется над ямкой и ждет, когда наконец вода, журчащая где-то там, в глубине, поднимется на поверхность.

Артур всматривается в черный зев ямки.

Наконец, к великому восторгу Артура, внизу что-то заблестело. А вскоре на дне ямки показывается венчающий пирамиду рубин. Постепенно тарелочка с горкой драгоценных камней поднимается к самым краям ямки. Рубины сияют, словно выдержанное вино в пронизанном солнцем хрустальном бокале.

От счастья Артур чуть не плачет.

Он выполнил задание! Он сотни раз рисковал жизнью, преодолел множество преград и препятствий, научился смотреть в лицо опасности. Он попал в настоящее приключение и с честью вышел из него. Начав путь маленьким мальчуганом, он завершил его маленьким мужчиной.

Протянув руки, Артур аккуратно поднимает тарелочку с рубинами. Его восхищение обретенным сокровищем сродни восторгу студента, получившего после многих лет упорной учебы заслуженный диплом. Комиссия одобрительно кивает Артуру, а председатель приветливо виляет хвостом.

Артур бежит в сарай и, включив лампу дневного света, ставит блюдце на стол. К его великой радости, лампа загорается. Порывшись в ящиках, Артур извлекает на свет огромную лупу и, поднеся ее к пирамидке, методично ее осматривает в надежде отыскать маленького крота.

– Мино, ты здесь? – шепчет Артур, опасаясь, что его голос, даже очень тихий, звучит для кротенка словно раскат грома.

И он прав: Мино все слышит, но, на его взгляд, эти рокочущие звуки не предвещают ничего хорошего. Разве этот оглушительный рев может быть голосом его маленького друга? В стране минипутов голос Артура звучал гораздо тише.

Собрав остатки мужества, Мино все же отваживается высунуть нос из своего убежища. И тут же упирается в стеклянную стену, такую огромную, что он даже не в состоянии определить ее размеры. В стене отражается огромный глаз, большущий, словно настоящая планета.

Мино вспоминает одну старую страшную сказку, которую рассказывал отец, когда хотел утихомирить расшалившегося сынишку. В сказке говорилось про глаз, такой же чудовищный, как и этот, только глаз из сказки обитал на самом дне могилы, откуда он непрерывно следил за каким-то минипутом по имени Каин.

Мино испускает ужасный крик и падает в рубины. Это немногим лучше, чем падать в яблоки. Или в апельсины.

Больше половины жителей столицы минипутов своими крошечными ручками сдерживают натиск воды, никак не желающей расстаться с надеждой прорваться в город. Но время идет, и вода постепенно убывает. Эту хорошую новость сообщает Миро. Он стоит, прижавшись ухом к воротам, и слушает. Как известно, у кротов превосходный слух.

Своими длинными руками король упирается в ворота вместе с остальными подданными. Услышав, что опасность миновала, он пытается опустить руки, но у него не получается: от долгого напряжения они затекли.

У лошабака тоже затекли конечности. Отойдя в сторону, он начинает вращать короткой шеей, а потом всем телом, одновременно пританцовывая на месте. Его косточки издают сухое пощелкиванье. Честно говоря, если бы не он, минипутам вряд ли удалось бы сдержать натиск воды. Так что неудивительно, что у лошабака сильно ломит спину.

Не в силах опустить руки, король попрежнему стоит у ворот. Он чувствует себя смешным и одиноким.

– Отец, ворота можно отпустить, они устояли! – напоминает ему дочь. Вид подпирающего ворота короля ее забавляет.

Шум воды постепенно стихает, исчезает, словно дурное воспоминание. Миро открывает смотровое окошко, расположенное на уровне его мордочки, и выглядывает наружу.

– Вода ушла! Мы спасены! – кричит крот.

Новость встречена с невиданной прежде радостью, сотни крохотных шапочек взлетают в воздух, повсюду слышатся радостные крики, песни, возгласы. Все ликуют по случаю избавления от грозной опасности.

Селения бросается в объятия отца. От радости она вновь чувствует себя маленькой девочкой.

Крупные слезы, только что градом катившиеся по ее щекам, мгновенно высыхают, и она смеется и радуется вместе со всеми.

Барахлюша буквально распирает от гордости: сколько минипутов восхищаются его рассказами! Многие рвутся пожать ему руку. Геройское настроение Барахлюша омрачает только необходимость то и дело говорить «спасибо».

Миро добродушно взирает на всеобщее веселье, но на душе у него кошки скребут. Подойдя к нему, король кладет ему руку на плечо. Ему известно, какое горе гложет Миро и мешает ему насладиться праздником.

– Как бы мне хотелось, чтобы мой маленький Мино радовался вместе с нами! – вздыхает Миро.

Сочувствуя другу, король еще крепче обнимает его за плечи. Больше он ничего не может сделать; сказать ему тоже нечего. Любые слова сейчас будут лишними.

Внезапно раздается громоподобный звук, и ликующая толпа замирает. Земля под ногами минипутов содрогается, и праздничного настроения как не бывало. Ликование сменяется страхом. Перепуганные минипуты в панике разбегаются кто куда.

Подземные толчки усиливаются, с купола падают камни, оставляя после себя воронки, как после бомбежки. Жители столицы уверены, что это Ужасный У обрушил на них свою месть, и прячутся в дома и укрытия.

Кто, кроме Ужасного У, мог разрушить земляные своды над городом?

От сильнейшего толчка сверху обрушивается огромный камень.

– Осторожно! – кричит Миро.

К сожалению, его предупреждение запоздало. Оставшиеся на площади минипуты, из числа особенно любопытных, шарахаются в стороны. Сорвавшийся сверху камень, подняв тучи пыли, уходит глубоко в землю.

Удар его от столкновения с землей был так силен, что король сел там, где стоял.

Толчки прекращаются, и в образовавшуюся в своде дыру опускается огромная полосатая труба.

Король не верит своим глазам. Что еще этот дьявол Урдалак сумел изобрести?

Стенки трубы прозрачные, и, подойдя поближе, сквозь них можно разглядеть, как внутри по отвесной стене скользит вниз какой-то темный шарик.

– Слеза смерти! – восклицает Барахлюш.

Слова его разносятся с быстротой огонька, бегущего по пороховой дорожке, и паника становится всеобщей. Только Селения не поддается общему смятению. Глядя на большую полосатую трубу, она мучительно вспоминает, где могла видеть такую штуку.

– Это же соломинка для коктейля! – неожиданно расхохотавшись, восклицает она. – Соломинка Артура!

Шарик тем временем съехал по вертикальной стенке до самой земли, упал и покатился в сторону. Остановившись, он повертелся на месте, развернулся и превратился в маленького кротенка. Это Мино, он стоит и выплевывает набившуюся в рот грязь.

В передних лапках он держит могучий меч Селении.

– Мой сын! – восклицает счастливый Миро.

– Мой меч! – радостно восклицает Селения.

Миро бросается к кротенку и сжимает его в объятиях.

Убедившись, что опасность миновала, минипуты вновь начинают ликовать.

Король подходит к Миро и Мино, приклеившимся друг к другу, словно зверюшки моль-моль.

– Все хорошо, что хорошо кончается! – с облегчением произносит он. – И все же жаль, что приключение завершилось.

– Еще не завершилось! – уверенно отвечает Селения.

Покинув короля и кротов, все еще держащих друг друга в объятиях, она направляется в центр площади, где лежит древний камень. Взмахнув мечом, она делает выпад, словно хочет проткнуть камень насквозь. На миг твердая глыба превращается в мягкое желе, впускает в себя клинок и вновь смыкает свои каменные объятия. Отныне никто больше не потревожит пленника.

Селения с облегчением вздыхает. Бросив взор в сторону отца, она видит, как тот одобрительно кивает. Селения не скрывает своей радости: значит, она правильно поняла его намек! Пережитое ею приключение научило ее многому, но главное, оно наделило ее качеством, необходимым не только принцессе или правителю, но и каждому минипуту и человеку. Качество это называется мудростью.

Дело сделано. Соломинка медленно поднимается вверх и вскоре исчезает в отверстии купола.

ГЛАВА 16

Артур берет трубочку и внимательно ее осматривает, желая убедиться, что Мино успел ее покинуть.

– Йес! – радостно кричит он, видя, что соломинка пуста.

Подобрав камешек нужного размера, он аккуратно затыкает дыру, проделанную соломинкой, и берет блюдце с рубинами.

Самое время: сокровищам давно пора появиться на сцене, ведь Арчибальд уже исчерпал свою фантазию, придумывая различные отговорки, чтобы выиграть время. Руки у него по самые локти вымазаны в чернилах, но он по-прежнему продолжает нещадно теребить ручку, которую только что на глазах у всех ухитрился разобрать на составные части.

– Невероятно! Эта ручка никогда меня не подводила! А сегодня, когда мне надо подписать важные бумаги, она вдруг предательски потекла! – объясняет дедушка; сейчас он гораздо более многословен, чем обычно. – Эту ручку подарил мне мой швейцарский друг, а, полагаю, вам известно, что швейцарцы славятся не только своими часами и шоколадом, но и превосходными самопишущими авторучками!

Терпение Давидо тает с каждой секундой. Выдернув из кармана пиджака дорогой «Паркер», он сует его дедушке под нос.

– Держите! Это тоже неплохое перо! А теперь подписывайте! Мы и так потеряли достаточно времени!

Он больше не потерпит ни единой отговорки, ни единого отвлекающего маневра. Во взгляде Давидо серой сталью сверкает решимость.

– А?.. О да... Конечно... разумеется, – бормочет Арчибальд, лихорадочно пытаясь придумать очередную отговорку.

Чтобы выиграть хотя бы несколько секунд, он с восхищением разглядывает предложенную ему ручку.

– Великолепно! А... а пишет хорошо? – задает он первый пришедший ему в голову вопрос.

– Попробуйте и увидите! – весьма нелюбезно отвечает Давидо, не упуская возможность напомнить Арчибальду, чего, собственно, от него ждут.

Тот понимает, что тянуть дальше некуда. И подписывает последнюю бумагу.

Давидо буквально вырывает ее у него из рук и кладет в папку.

– Наконец-то! Теперь вы являетесь законным собственником дома! – бодрым тоном произносит он.

– Превосходно! – радостно соглашается Арчибальд, прекрасно зная, что все не так просто, как кажется на первый взгляд. Он подписал кучу бумаг, однако главного документа ему так до сих пор и не показали.

– А теперь деньги!.. – протягивает руку Давидо.

Для Арчибальда это последний шанс. Собственником дома он сможет стать только после того, как уплатит надлежащую сумму или же предъявит доказательства, что располагает нужной суммой и внесет ее в ближайшее время. А денег у него нет. Дедушка растерянно улыбается полицейским, выстроившимся за спиной Давидо, словно просит их помочь ему. К несчастью, стражи порядка ничем не могут ему помочь.

Давидо чувствует, что ветер наконец-то подул в его сторону. Ведь чудо уже случилось: в самый последний момент, когда развязка была совсем близка, появился этот упрямый старичок с внуком. Трудно поверить, что чудо, явление само по себе крайне редкое, может произойти дважды в день.

Открыв папку, Давидо собирает все подписанные Арчибальдом бумаги в стопку и готовится разорвать их.

– Раз денег нет... нет и документов на дом! – заявляет гнусный негодяй, полагая, что теперь-то назойливый старик не выкрутится.

В эту минуту распахивается дверь, и взоры присутствующих устремляются на вновь прибывшего – того, кому отведена главная роль в этой истории. У всех, включая Давидо, в глазах читается вопрос: неужели все их старания оказались напрасными? Хотя, конечно, каждый старался по-своему... И все по-прежнему ждут чуда. В отличие от Давидо, бабушка уверена, что, если свершилось одно чудо, за ним непременно должно последовать другое.

В данном случае роль чуда отведена главному герою, маленькому и очень вежливому мальчику. Войдя в гостиную, этот мальчик тщательно вытирает ноги и не забывает надеть тапочки.

Маленький вежливый мальчик – это Артур. Впрочем, это все уже и так поняли. Он не спеша подходит к столу, за которым сидит дедушка, ожидающий его появления не меньше, чем Второго Пришествия, и аккуратно ставит перед Арчибальдом блюдце с рубинами.

Бабушка изо всех сил сдерживает свою радость, Давидо, напротив, изо всех сил старается снова научиться дышать.

Артур обводит окружающих веселым взглядом и улыбается. Он счастлив.

Арчибальд ликует. Настал его черед посмеяться над Давидо!

– Итак!.. – произносит он, глядя на рубины. – Как гласит заповедь номер пятьдесят, «будь точным при расчетах, и никогда ни с кем не поссоришься».

Выбрав самый маленький рубин, он протягивает его Давидо.

– Вот, это вам, теперь мы в расчете! Полагаю, вам известно, что такой глубокий красный цвет встречается в природе крайне редко, – добавляет он, с безмятежной улыбкой глядя на перекошенную физиономию нечистоплотного дельца.

Оба полицейских с облегчением вздыхают. Такая развязка им явно по вкусу.

Бабушка ставит на стол маленькую шкатулку для драгоценностей и, взяв блюдце, ссыпает в нее рубины.

– Вот более надежное место для хранения драгоценных камней... А это блюдечко я ищу уже четыре года, оно было взято из-под моей чашки и потом куда-то запропастилось! – насмешливо добавляет она, забирая блюдце.

Арчибальд и Артур тихонько смеются. Но Давидо не до смеха. Давидо почему-то даже не улыбается.

– Месье, позвольте с вами распрощаться! – вставая с места, вежливо говорит Арчибальд, указывая Давидо на дверь.

Кажется, у коммерсанта отнялись ноги, и он никак не может встать.

Желая поскорей завершить столь неприятно начавшееся и столь удачно закончившееся дело, оба полицейских, отдав честь бабушке и дедушке, направляются к двери, жестом приглашая Давидо следовать за ними – так сказать, прокладывают ему дорогу. Но на него пример полицейских не действует. У него внезапно дергается один глаз, потом другой, а потом он принимается часто-часто моргать обоими глазами. Говорят, именно так начинается нервный тик, от которого рукой подать до психушки.

Как известно, от безумия до ненависти всего один шаг, и у Давидо есть все шансы этот шаг сделать. Он и делает. Распахнув пиджак, он выхватывает из-за пояса пистолет времен Второй мировой войны и, подражая нехорошим героям боевиков, кричит:

– Всем стоять, не двигаться!

Полицейские еще не успели покинуть гостиную. Услышав крик, они хватаются за пистолеты. Но безумец опережает их.

– Я же сказал: всем, без исключения! – кричит он еще более громко и властно.

Все, кто собрались в эту минуту в гостиной, застывают в тех позах, в которых их застал окрик Давидо. Никто из присутствующих не подозревал, что негодяй может решиться на такое.

Пользуясь всеобщим замешательством, Давидо хватает шкатулку и сует ее себе в карман.

– Так вы, значит, для этого хотели заполучить наш сад? – спрашивает Арчибальд, начиная понимать что к чему.

– Да! Именно для этого! Чутье меня не обмануло! – усмехается Давидо, обводя безумным взором комнату.

– Откуда вы узнали, что в саду зарыт клад? – спрашивает дедушка. Ему очень хочется отгадать эту загадку.

– Да вы же сами мне об этом сказали, старый вы забывчивый осел! – нервно хихикает Давидо, направляя на дедушку пистолет. – Помните, как-то раз, когда мы с вами сидели в баре «Две реки», – кричит он, явно испытывая потребность выпустить накопившийся в нем пар, – вы стали рассказывать ваши любимые байки про мосты и туннели, про маленьких и больших африканцев? Тогда вы и рассказали мне про сокровища! Про рубины, которые вы привезли из Африки и старательно зарыли в саду. Вы так старались получше их спрятать, что сами забыли, где закопали! Вы тогда очень смеялись, а я плакал, плакал долго, много ночей подряд! Я глаз не мог сомкнуть, зная, что вы мирно почиваете на сокровищах, которые вам не нужны! Да, не нужны, раз вы даже не помните, где вы их спрятали!

– Простите, что я невольно потревожил ваш сон, – о-о-очень вежливо замечает Арчибальд.

– Ладно, забудем прошлое! Теперь я отосплюсь за все бессонные ночи, ведь сокровище-то у меня! – заявляет Давидо, отступая к выходу.

– А знаете, Давидо, вам мешало спать не сокровище, а жадность.

– Моя жадность вполне удовлетворена, и теперь я буду спать спокойно! Отправлюсь спать на Канарские острова! В Африке слишком жарко, мне это не подходит! – отвечает негодяй, не видя, что за его спиной пятеро матассалаи с копьями на изготовку только и ждут, когда он упрется в их острые наконечники.

– Не в деньгах счастье, Давидо, это одна из первейших заповедей, и вы скоро в этом убедитесь, – говорит Арчибальд, с грустью глядя на несчастного безумца, готового угодить в расставленную им же самим ловушку.

Когда все пять копий упираются в спину беглеца, тот понимает, что удача окончательно от него отвернулась. Так в считаные секунды грозовые тучи затягивают безоблачное небо. Давидо стоит, боясь пошевелиться, и полицейские, воспользовавшись его испугом, отбирают у него оружие. Вождь матассалаи извлекает из кармана Давидо шкатулку, а полицейские надевают на него наручники и ведут к выходу.

Они не дают ему сказать ни слова. Даже «до свидания».

Вождь подходит к Арчибальду и вручает ему шкатулку.

– В следующий раз убирай, пожалуйста, получше свои подарки! – говорит он, расплываясь в широченной улыбке.

– Обещаю! – весело отвечает Арчибальд. Он навсегда запомнит преподнесенный ему урок.

Артур бросается бабушке на шею и с полным правом получает заслуженную порцию ласки и восторгов.

Тем временем мать Артура получает оплеухи, беззлобные, но все же оплеухи. Это единственный способ разбудить ее. Когда же она наконец открывает глаза, супруг, приподняв ее за плечи, минут пять трясет ее, как грушу. Первое, что она видит, когда пробуждается окончательно, это Давидо в наручниках и полицейских, которые сажают его на заднее сиденье своей машины. Мать хмурится: она уверена, что ей опять снится дурной сон.

– Сейчас тебе лучше, дорогая? – вежливо спрашивает ее супруг.

Она не отвечает. Пристально глядя на полицейский автомобиль, она ждет, взлетит он в небо или не взлетит.

Машина рвется вперед и, оставляя за собой густой шлейф пыли, уносится, но не на небо, а по дороге в сторону города.

Значит, она не спит, и все, что вокруг нее, это, бесспорно, реальность.

– Я чувствую себя отлично! – с некоторым опозданием заявляет она, поднимаясь и разглаживая складки на платье.

Бросив взгляд в окно, мать Артура видит многочисленные ямы, вырытые ее супругом.

– Все прекрасно! – произносит она, словно ничего не случилось. Крыша ее из-за многочисленных падений съехала набекрень и еще не успела принять исходного положения. – Сейчас я тут приберусь немного! – говорит она, словно речь идет об уборке на кухне.

Она мчится в сад и, схватив лопату, принимается закапывать ямы.

Супруг смотрит на нее и беспомощно разводит руками. В конце концов он вздыхает и садится на край одной из ям. Остается только ждать, когда крыша его жены встанет на место.

А пока... не будем ее останавливать! Ведь кто-то же должен их закопать! Вот и супруг не препятствует жене утрамбовывать землю в яме, которую она только что старательно засыпала.

ГЛАВА 17

Со времени необыкновенного приключения Артура прошла целая неделя.

Сад обрел почти прежний вид, перед крыльцом и на стоянке насыпали свежего гравия, заменили расколовшиеся плиты на дорожках.

Словом, все по-старому, не считая запаха. Сегодня из окон кухни вырывается запах съестного.

Бабулечка приподнимает крышку кастрюльки и наслаждается несравненным ароматом. Содержимое кастрюли тушится уже несколько часов, и с каждой минутой запах становится все вкуснее – именно поэтому Альфред смирно сидит в кухне возле самой плиты.

Бабушка опускает деревянную ложку в кастрюлю, зачерпывает и краешком губ пробует содержимое. При виде того, как на лице ее появляется довольная улыбка, становится понятно, что блюдо удалось. Готово.

Старушка берет две тряпки, с их помощью подхватывает кастрюлю за ручки и несет в гостиную. Ее встречает дружный гул голосов голодных родственников и гостей.

– О-о-о!!! М-м-м!!! – раздается со всех сторон довольное урчание.

Арчибальд раздвигает бутылки, освобождая место для кастрюли, издающей поистине божественный аромат.

– О! Шея жирафа! Мое любимое блюдо! – восклицает Арчибальд. Его дочь, мать Артура, тотчас начинает испуганно вращать головой, но супруг мгновенно это пресекает.

Мать успокаивается. Надо сказать, она по-прежнему немного не в себе.

– Шучу! – восклицает Арчибальд и берет бутылку с белым вином. – Вот, держи, дочь моя! Выпей стаканчик: капелька белого вина еще никогда никому вреда не приносила, – говорит дедушка, наполняя бокал матери Артура.

Он хочет налить и пятерым матассалаи, но те вежливо отказываются.

Ни один из двух полицейских не собирается следовать их примеру.

– Полицейские всегда готовы оказать услугу, особенно когда требуется помочь распить бутылочку доброго винца, – шутит один.

Шутка приводит всех в хорошее расположение духа, а дедушка даже закашлялся от смеха.

Бабушка шлепает его по спине и в перерыве между шлепками протягивает ему стакан с вином. Дедушка берет его и залпом, на одном дыхании, выпивает. Кашель прекращается, и он знаками просит жену перестать колотить его по спине. Затем он берет бутылку и смотрит на этикетку. Это белое вино из погреба самого Арчибальда. Крепость измеряется десятками градусов. Такое вино может зажечь пожар не только в дыхательных путях, но и в мозгу. Теперь понятно, кто научил минипутов готовить Огненный Джек!

Бабушка раскладывает кушанье по тарелкам, и комнату заполняет аромат мяса по-бургундски. На тарелках лежат солидные порции, и все ждут, когда же наконец хозяйка дома сядет и все приступят к еде. Последняя тарелка наполнена, но один стул все еще пустует.

– А где же Артур? – спохватывается бабушка. Поглощенная обязанностями хозяйки дома, она не заметила, как мальчик сбежал.

– Он отправился мыть руки, – убежденно говорит дед. – И сейчас придет.

Бабушка понимает, что дед и внук снова в сговоре.

– Всем приятного аппетита, – произносит Арчибальд, стараясь отвлечь внимание сотрапезников от внука.

– Приятного аппетита! – говорят друг другу собравшиеся и принимаются поглощать мясо по-бургундски.

Разумеется, Артур и не думал идти мыть руки.

Взбежав по лестнице на второй этаж, он потихоньку проник в бабушкину спальню и снял с гвоздя уже известный нам ключ. И теперь он, озираясь по сторонам, на цыпочках движется по коридору, надеясь, что за ним не последует Альфред. Но вокруг все спокойно. Когда подают мясо по-бургундски, Альфред обычно не отходит от стола дальше, чем на метр.

Артур подходит к дедушкиному кабинету и, несмотря на табличку на двери, гласящую, что вход воспрещен, вставляет ключ в замочную скважину.

В кабинете вновь все как прежде. Письменный стол занял свое привычное место, каждая безделушка, каждая маска нашли свой гвоздик. И всюду громоздятся книги.

Подойдя к письменному столу, Артур приветствует его, словно старого приятеля. Ласково погладив столешницу из черешневого дерева, он проводит рукой по большому чемодану из буйволовой кожи, касается каждой маски. Прежде, до случившихся с ним невероятных приключений, он очень любил играть с этими масками. Теперь он взирает на дорогие его сердцу вещицы не только с нежностью, но и с грустью. Ему очень не хватает его новых друзей.

Он подходит к окну, распахивает его, и в кабинет врывается теплый летний воздух. Опершись локтями о подоконник, Артур со вздохом смотрит вниз, на большой дуб, возле которого по-прежнему стоит садовый гном. В вышине, в голубом летнем небе, скромно висит тонюсенький серпик луны, стыдливо побледневший от яркого света солнца.

– ...Больше девяти лун, Селения... больше девяти лун... – тихо произносит Артур. И всем понятно, что грустит он не просто о друзьях, а о прекрасной принцессе Селении.

Наверное, это любовь. Любовь, исчисленная в лунах и миллиметрах.

– Ты подарила мне королевскую силу, но я никогда еще не чувствовал себя таким слабым. Быть может, эта сила действует только тогда, когда ты рядом со мной? – спрашивает Артур, заранее зная, что никто ему не ответит. Но на всякий случай он замирает и прислушивается: вдруг ветер принесет ему ответ? Но ответа нет. Только легкий ветерок шелестит листвой старого дуба.

Артур посылает воздушный поцелуй в направлении дуба, поцелуй подлетает к его раскидистым ветвям и, лавируя между листьями, опускается прямо на щеку Селении.

Крошечная принцесса сидит на листе дуба и смотрит на стоящего у окна Артура.

Непрошеная слеза скатывается у нее по щеке.

– Я скоро вернусь, – шепчет Артур.

– Я буду ждать! – отвечает Селения.

И, уповая на терпение и мудрость – этот фундамент, на котором стоит дом надежды, – Артур закрывает окно.

ОГЛАВЛЕНИЕ

Для среднего и старшего школьного возраста

Люк Бессон
АРТУР И ЗАПРЕТНЫЙ ГОРОД
Книга вторая

Верстка *В. Чертков*
Технический редактор *Т. Андреева*
Корректор *Т. Филиппова*
Ответственный за выпуск *Л. Кузьмина*

ГС № 77.99.02.953.Д.008333.09.06 от 14.09.2006.

Подписано в печать 25.01.2007. Формат 84х108/32.
Бумага для офсетной печати. Печать офсетная.
Усл. печ. л. 15,96. Доп. тираж 50 000 экз. Заказ № 6997.

ЗАО Компания «Махаон».
125195, Москва, Беломорская ул., д. 26, стр. 2.
Тел. (495) 933-7600, факс (495) 933-7620.
E-mail: sales@machaon.net
WWW.MACHAON.NET

ОПТОВАЯ И МЕЛКООПТОВАЯ ТОРГОВЛЯ:

В Санкт-Петербурге **«Махаон-СПб»**:
198096, Санкт-Петербург, Кронштадтская ул., 11,
4-й этаж, офис 19.
Тел./факс: (812) 783-5284. E-mail: machaon-spb@mail.ru

На территории Украины **«Махаон-Украина»**:
04073, Киев, Московский просп., 6, 2-й этаж.
Тел./факс: (044) 490-9901. E-mail: machaon@i.kiev.ua

В Москве:
Книжная ярмарка в **СК «Олимпийский»**.
129090, Москва, Олимпийский просп., д. 16,
станция метро «Проспект Мира».
Тел. (495) 937-7858.

ОАО "Тверской полиграфический комбинат". 170024, г. Тверь, пр-т Ленина, 5.
Телефон:(4822) 44-52-03, 44-50-34. Телефон/факс: (4822) 44-42-15.
Home page - www.tverpk.ru. Электронная почта (E-mail) - sales@tverpk.ru

Бессон Л.

Б 53 Артур и запретный город: Книга вторая: Роман / Пер. с франц. Е. Морозова. – М.: Махаон, 2007. – 304 с.

ISBN 5-18-000651-1 (рус.)
ISBN 2-251-79034-9 (фр.)

Мастер фантазии, иллюзии, головокружительных сюжетов, Люк Бессон, режиссер «Пятого элемента», «Никиты», «Голубой бездны» и других замечательных кинофильмов, создает новую сказку. Это его дебют в детской литературе, и в этой сказочной повести есть все – тайны, загадки, погони, клады, волшебство...

Приключения Артура, принцессы Селении и принца Барахлюша продолжаются. Чтобы избавить минипутов от их злейшего врага, Ужасного Урдалака, и освободить дедушку Артура, друзьям предстоит пройти через множество испытаний: приручить гигантского паука, обмануть коварного Мракоса и спастись от потопа, грозящего смести все на своем пути. Помощи им ждать неоткуда, рассчитывать можно только на собственную сообразительность, ловкость и хитрость...

ББК 84.4(Фр)

ВНИМАНИЕ!

**ДЕБЮТ ЛЮКА БЕССОНА
В ДЕТСКОЙ ЛИТЕРАТУРЕ:**

«АРТУР И МИНИПУТЫ»
Книга первая

•

«АРТУР И ЗАПРЕТНЫЙ ГОРОД»
Книга вторая

ЛЮК БЕССОН

«АРТУР И МИНИПУТЫ»

КНИГА ПЕРВАЯ

Читая старинную книгу, юный Артур узнает о загадочной стране крохотных существ – минипутов. Только дед Артура, великий путешественник, таинственно исчезнувший несколько лет назад, умел проникать туда, но знания свои зашифровал.

Бабушке Артура грозит беда: ее большой дом могут отобрать за долги, и внук решает проникнуть в страну минипутов, найти там деда и зарытый им клад. Ему удается разгадать загадку перехода, и... начинаются невероятные приключения, во время которых он знакомится с принцессой Селенией и ее братом, принцем Барахлюшем.